W9-AED-513

Fig. 1 François Kollar (1904-1979), *Tête d'Isabel*, 1936.
Tirage argentique sur papier. Paris, Archives Félix Marcilhac.

Fig. 2 *Trois têtes de femme (Isabel) de face et de profil*, vers 1936-1937.
Crayon sur papier à lettre, 21 x 27 cm.
Paris, Fondation Alberto et Annette Giacometti, Inv. 1994-1144.

Fig. 3 *Quatre têtes de femme (Isabel)*, vers 1936-1937.
Crayon sur papier à lettre, 21 x 27 cm.
Paris, Fondation Alberto et Annette Giacometti, Inv. 1994-1146.

Fig. 4 *Tête d'Isabel*, 1936.
Plâtre, 30,3 x 23,5 x 21,9 cm. Paris, Fondation Alberto et Annette Giacometti, Inv. 1994-0343.

Fig. 5 *Tête d'Isabel*, vers 1936.
Plâtre repris au canif, 30,3 x 23,5 x 21,9 cm. Collection particulière.

Fig. 6 *Femme qui marche II*, 1936
Plâtre, hauteur 150 cm. Venise, The Peggy Guggenheim Collection

Fig. 9 *Coin d'atelier d'Alberto Giacometti, avec la* Tête de Rita,
un projet pour Tête qui regarde *et* Tête d'Isabel, 1938.
Tirage moderne, 24 x 18,1 cm. Paris, Bibliothèque Kandinsky.

Fig. 7 *Tête d'Isabel*, vers 1937-1938.
Bronze, 21,3 x 16 x 17,2 cm.
Paris, Fondation Alberto et Annette Giacometti, Inv. 1994-0042.

Fig. 8 *Tête d'Isabel*, vers 1938-1939.
Plâtre repris au canif et rehaussé au crayon, 21,6 x 16 x 17,4 cm.
Paris, Fondation Alberto et Annette Giacometti, Inv. 1994-0344.

Fig. 10 *Toute petite figurine*, vers 1938.
Plâtre retravaillé au canif, traces de crayon et de couleur,
enduit d'un isolant pour le moulage, 4,5 x 3 x 3,8 cm.
Paris, Fondation Alberto et Annette Giacometti.

Fig. 11 Ernst Scheidegger (né en 1923),
Intérieur de l'atelier à Maloja avec Femme au chariot, n.d.
Tirage argentique sur papier. Collection particulière.

Fig. 13 *Nu debout* (Maloja), fragment de peinture murale, vers 1943-1945.
Huile et plâtre sur dessin préparatoire au crayon rouge
sur panneau de bois découpé, 163 x 42,5cm. Collection particulière.

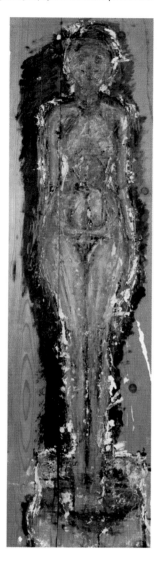

Fig. 12 *Femme au chariot*, vers 1945.
Plâtre peint et bois, 153, 5 x 33,5 x 35 cm (figure), 10 x 40 x 35 cm (chariot).
Duisbourg, Wilhelm Lehmbruck Museum.

Fig. 14 *Tête d'Isabel* (recto et verso), vers 1947.
Crayon sur papier, 48,8 x 31,5 cm. Collection particulière.

Fig. 15 *Tête d'Isabel*, 1947.
Photographie d'un dessin au crayon sur papier.
Paris, Archives de la Fondation Alberto et Annette Giacometti.

Fig. 16 *Tête d'Isabel*, vers 1947.
Photographie d'un dessin au crayon sur papier.
Paris, Archives de la Fondation Alberto et Annette Giacometti.

Fig. 17 *Isabel*, 1947.
Photographie d'une huile sur toile.
Paris, Archives de la Fondation Alberto et Annette Giacometti.

Fig. 18 Brassaï (1899-1984), *Giacometti dans son atelier
entouré de ses œuvres dont un portrait d'Isabel*, 1947.
Tirage argentique sur papier. Collection particulière.

Fig. 19 *Figure debout*, 1947.
Bronze, 198,5 x 23 x 41,5 cm. Zurich, Alberto
Giacometti-Stiftung, Inv. GS 31.

Fig. 20 *Isabel dans l'atelier*, 1949.
Huile sur toile, 105 x 87 cm. Aix-en-Provence, Musée Granet.

Varia

ALBERTO GIACOMETTI, ISABEL NICHOLAS, CORRESPONDANCES

FAGE éditions

FONDATION
ALBERTO ET ANNETTE
GIACOMETTI

22. ALBERTO GIACOMETTI ET ISABEL NICHOLAS

Depuis l'entretien accordé par Alberto Giacometti à Pierre Dumayet en 1963, le rôle joué par son amie anglaise Isabel Nicholas dans sa création était connu du public. Plusieurs historiens et biographes en ont ensuite fait état, mais aucun n'a jusqu'à présent exploré cette relation comme un thème spécifique sur une longue période. La publication de la correspondance entre les deux artistes et amis en fournit l'occasion.

Dans cet entretien tardif, Giacometti commentait une toute petite figurine se trouvant dans son atelier :
« – Non seulement elle est petite, cette femme, mais elle est abîmée, non seulement elle est petite, mais encore elle prétend ressembler à quelqu'un : en plus, pour moi c'est un portrait.
– Qui est-ce ?
– C'était une amie, une Anglaise.
– Pourquoi est-elle si petite ?
– Je n'y suis pour rien. C'était en 1937. Comme c'était toujours impossible de réussir une tête, j'ai voulu faire des personnages entiers. Je les commençais grands comme ça [...].
– Et avez-vous compris pourquoi elles diminuaient ?
– Je l'ai compris après coup. C'est que la sculpture que je voulais faire de cette femme, c'était bel et bien la vision très précise que j'avais eue d'elle au moment où je l'avais aperçue dans la rue, à une certaine distance. Je tendais donc à lui donner la grandeur qui était la sienne quand elle était à cette distance.
– Avez-vous encore aujourd'hui le souvenir de cette vision ?
– Oui. Ça se passait boulevard Saint-Michel, à minuit. Je voyais l'immense noir au-dessus d'elle, des maisons : donc, pour faire l'impression que j'avais, j'aurais dû faire une peinture et non une sculpture. Ou alors, j'aurais dû faire un socle immense pour que l'ensemble corresponde à la vision.
– Est-ce après avoir compris cela que vous avez cessé de diminuer vos sculptures ?
– Pas du tout. J'ai compris cela bien plus tard. Non, pour en finir avec cette réduction, un jour j'ai décidé de commencer une sculpture grande comme ça [un mètre environ] et de ne céder d'un millimètre à aucun prix.
– Vous avez tenu bon ?
– Oui, puisque j'avais décidé. Mais elle a fait le contraire. Au lieu de se réduire comme ça [en hauteur], elle s'est réduite comme ça [en largeur]. »

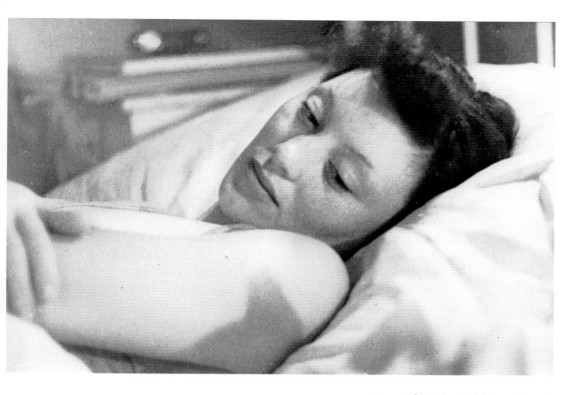

Fig. 21. Sefton Delmer, *Isabel dans son lit*, 1936.
Tirage argentique sur papier.
Londres, Archives de la Tate Gallery, Inv. 9612.4.1.1 et 9612.4.1.2.

Dans ce témoignage, Isabel apparaît comme celle qui a distrait Giacometti de sa recherche sur les têtes pour lui faire étudier le corps entier dans les années 1930, puis comme celle qui fit naître les célèbres sculptures miniatures, et enfin celle qui suscita l'allongement de ses figures, caractéristique de son style si personnel d'après-guerre. Si c'est le cas, c'est un rôle capital, assurant la transition entre les œuvres d'avant-guerre et d'après-guerre, qui met ce modèle sur un pied d'égalité avec les modèles les plus importants de Giacometti : son père, sa mère, son frère puis, à partir de 1947, son épouse. L'influence d'Isabel sur l'œuvre de l'artiste est ce que cet essai s'efforce de mettre en lumière. Mais pour cela, il est nécessaire dans un premier temps d'esquisser le parcours de l'un et de l'autre des protagonistes de cette aventure jusqu'au moment de leur rencontre au milieu des années 1930.

Alberto Giacometti avant Isabel

« Vous pouvez supprimer l'anatomie, la perspective et la forme et vous pouvez quand même faire une œuvre d'art[1]. »
« Ce que j'ai cherché dans mes tableaux, ce n'est pas une harmonie des couleurs plus ou moins décorative et de bon goût. La couleur doit engendrer lumière, forme et vie. C'est à cela que je me suis efforcé[2]. »
Giovanni Giacometti

« En somme [la sculpture] doit être elle-même, être vivante par elle-même et non pas représenter la vie par autre chose (comme c'est le cas en général) et devenir une chose morte au fond. Et je crois que là est la difficulté majeure, parce qu'elle doit obéir à une autre logique que par exemple celle de [la] construction physique du corps réel[3]. »
Alberto Giacometti à son père

On ne dira jamais assez l'importance du milieu familial dans lequel grandit Alberto Giacometti, né en 1901 à Borgonovo, près de Stampa en Suisse italienne. C'est là qu'il va trouver toutes les clés pour se développer comme artiste et pour éviter les pièges de cette carrière ; là aussi qu'il va façonner son rapport à l'art et au modèle. Alberto Giacometti est en effet le fils d'un peintre post-impressionniste, Giovanni Giacometti. Pour assurer sa position sociale, Giacometti père exécute des commandes de portraits de bourgeois suisses, mais ses sujets favoris sont le paysage de sa vallée et sa famille : son épouse Annetta, son fils Alberto et ses trois autres enfants, Diego (né en 1902), Ottilia (née en 1904) et Bruno (né en 1907). Malgré ses efforts pour établir sa position au sein du petit monde de l'art suisse, Giovanni Giacometti dépend de quelques marchands et de la place que veulent bien lui faire ses collègues plus ambitieux dans un pays aux dimensions réduites.

De son côté, esprit brillant, rétif à l'autorité mais peu aventureux, le jeune Alberto Giacometti abandonne en 1919 le collège en cours d'année pour revenir chez ses parents à Stampa. Là, il travaille dans l'atelier de son père et bénéficie de sa bibliothèque. À l'instigation de son père, il étudie les beaux-arts à Genève puis à Rome, avant de poursuivre ses études à Paris à partir de 1922, auprès de Bourdelle à la Grande Chaumière. C'est son

1. Giovanni Giacometti, allocution prononcée devant l'Association artistique des Grisons, cité par Iso Camartin, *Sils-Maria ou le toit de l'Europe. Réflexions et perspectives*, Zoé, 2006, p. 145.
2. Giovanni Giacometti, Registre des tableaux, cité par Iso Camartin, *op. cit.*, p. 145.
3. Lettre d'Alberto Giacometti à son père, non datée (avril 1927), Alberto Giacometti-Stiftung, Zurich.

Fig. 22. Sefton Delmer, *Isabel dans son lit*, 1936.
Tirage argentique sur papier.
Londres, Archives de la Tate Gallery, Inv. 9612.4.1.1 et 9612.4.1.2.

père encore qui l'encourage à aller à Paris, où il avait lui-même étudié. Après beaucoup d'hésitations et toujours aiguillonné par son père, Giacometti prend en 1927 la décision de rester à Paris, où il s'est installé en décembre 1926 dans un petit atelier sans confort situé dans une cité d'artistes du quartier d'Alésia, derrière Montparnasse. La cité donne d'un côté sur le 51 rue du Moulin-Vert et de l'autre sur le 46 rue Hippolyte-Maindron, qui deviendra l'adresse de Giacometti jusqu'à sa mort.

En 1929, Giacometti devient célèbre du jour au lendemain grâce à ses sculptures plates. Il entre dans le cercle de grands collectionneurs comme les Noailles, obtient un contrat avec la galerie d'avant-garde dirigée par Pierre Loeb. Il adhère en 1931 au groupe surréaliste et devient proche d'André Breton, dont il est le témoin de mariage en 1934. La mort prématurée et inattendue de son père en juin 1933 le marque profondément. Son père avait toujours été son interlocuteur privilégié en matière d'art – leurs échanges portaient sur leur art et aussi sur celui des autres, comme le montre leur correspondance, ainsi que sur les stratégies politiques de l'art et la conduite à tenir avec les marchands, ou la pertinence des expositions. Les mois qu'il passe en Suisse en 1933 et en 1934 à régler la succession de son père vont peu à peu éloigner Giacometti du surréalisme. Une dimension s'installe de façon durable dans l'œuvre de Giacometti : la mort y devient omniprésente, ainsi que le caractère transitoire de toute vie ; ce qui est certainement dû au décès de son père, même si Giacometti a postérieurement daté de l'automne 1921 le traumatisme de sa rencontre avec la mort : le décès sous ses yeux d'un vieil Hollandais qu'il accompagnait à Venise, qui aurait suscité une « trouée dans la vie » irrémédiable. La réminiscence de sa rencontre avec la mort est suscitée par la mort d'un voisin dont il est le témoin rue Hippolyte-Maindron en 1946 – mort qu'il décrit longuement dans le journal *Labyrinthe*, où la mort de 1921 est évoquée par Giacometti dans une brève note. Il y reviendra plus longuement en décembre 1963, dans un entretien avec Jean Clay, pour en faire la cause fondatrice de sa décision de vivre dans le provisoire[4].

Néanmoins, c'est après la mort de son père en juin 1933 et pendant qu'il exécute sa pierre tombale en 1934 que Giacometti conçoit des œuvres aussi importantes que la *Tête-crâne* et le polyèdre saturnien connu sous le titre de *Cube*. En avril-mai 1933, alors que Giovanni Giacometti subit des examens répétés de son cœur épuisé, le *Cube* était déjà apparu en petit format sur la *Table* surréaliste : « C'est la même forme que j'ai voulu représenter sur ma table en plâtre, table qui pour moi avait beaucoup à faire avec la mort ou plutôt une espèce d'abolition sans espoir de toutes les choses et mouvement », écrit-il à Breton le 8 août 1933[5]. Max Ernst le rejoint à Maloja pendant l'été 1934, au moment où l'art de Giacometti s'infléchit vers une approche toujours plus magique, qui se focalise d'abord sur la tête et le rendu du regard comme expression de la vie. Ce rendu ne peut pas être illusionniste pour Giacometti, et, malgré son admiration pour l'art égyptien, les yeux de verre du Scribe du Louvre ne le satisfont pas.

« Un jour, alors que je voulais dessiner une jeune fille, quelque chose m'a frappé, c'est-à-dire que, tout d'un coup, j'ai vu que la seule chose qui restait vivante, c'était le regard. Le reste, la tête qui se transformait en crâne, devenait à peu près l'équivalent du crâne du mort. Ce qui faisait la différence entre le mort et la personne, c'était son regard. Alors je me suis demandé – et j'y ai pensé depuis – si, au fond, il n'y aurait pas intérêt à sculpter

4. Jean Clay, « Alberto Giacometti », *Réalités*, n° 215, décembre 1963, p. 134-144.
5. Lettre à André Breton, 8 août 1933, bibliothèque littéraire Jacques Doucet, BRT.C.832.

un crâne de mort. On a la volonté de sculpter un vivant, mais dans le vivant, il n'y a pas de doute, ce qui le fait vivant, c'est son regard. [...] Si le regard, c'est-à-dire la vie, devient l'essentiel, il n'y a pas de doute : c'est la tête qui est l'essentiel. Le reste du corps est réduit au rôle d'antennes qui rendent la vie possible aux personnages – vie qui se trouve dans la boîte crânienne. Il m'est arrivé, à une certaine époque, de voir les gens dans la rue comme si l'être vivant était minuscule. J'apercevais les êtres uniquement à travers l'œil. À travers leur œil[6]. »

À la fin de 1934, Giacometti quitte la Suisse et se réinstalle à Paris. Dès février 1935, il est exclus du mouvement surréaliste en raison de son refus de plier son art aux nécessités du groupe, ce que Péret décrit comme d'inexplicables « difficultés personnelles d'exécution de ses sculptures et des soucis d'ordre exclusivement plastique[7] ». S'éloignant du groupe, il perd aussi ses marchands, même si l'impact de cet isolement est réduit par le contexte de crise économique dont souffre alors le marché de l'art. Giacometti vivra principalement de la diffusion par les décorateurs de ses objets utilitaires. Sur un plan personnel, la rupture est aussi consommée entre Giacometti et Denise Maisonneuve, qui avait été sa muse à partir de 1930 et pendant toute sa période surréaliste, et à propos de laquelle il écrivait à André Breton le 23 août 1933 : « Il m'est impossible de faire la moindre ligne, la moindre sculpture qui ne soit pas en relation avec Denise [...] depuis deux jours je fais des tableaux d'elle, c'est les seuls moments où je vis[8]. » D'elle, qui inspira notamment le *Palais de 4 heures* en 1932, Giacometti dit encore en décembre 1933 qu'elle était « une femme qui, concentrant en elle toute la vie, portait chaque instant sur un plan d'émerveillement pour moi[9] ». Curieusement, on ne connaît que de rares dessins de Denise, où elle pose endormie – peut-être n'était-elle pas disposée à tenir en place pendant les séances de pose notoirement longues de Giacometti. En 1935, cette liaison tumultueuse est arrivée à son terme. Pour ses têtes de femme, Giacometti a recours à un modèle rémunéré, Rita Gueyfier, qui posera pour lui de 1935 à 1940. Rita, au visage fin, aux menton et nez pointus, et aux cheveux courts coiffés avec une raie sur le côté, a un visage identifiable, plutôt ordinaire. C'est avec elle que recommence la diminution d'échelle

6. *Le monologue du peintre*, émission de Georges Charbonnier et Alain Trutat enregistrée le 28 octobre 1950, diffusée à la RTF le 2 mars 1951.
7. 14 février 1935, note de Benjamin Péret dans le dossier d'exclusion de Dali, p. 31, www.atelierandrebreton.com.
8. Lettre à André Breton, BTR.C.834.
9. « Je ne puis parler qu'indirectement de mes sculptures », *Minotaure*, décembre 1933.

qui avait affligé régulièrement Giacometti depuis son enfance. Dans la fameuse lettre à Pierre Matisse, de décembre 1947, reproduite au catalogue de son exposition de 1948, Giacometti dresse la liste de sa production et dessine deux petites têtes qui sont indubitablement des têtes d'après Rita, auxquelles il donne les titres de *Tête de femme* (1935) et *Petite tête* (1936).

Isabel Nicholas avant Alberto

Isabel Nicholas naît à Londres en 1912, fille d'un officier de marine marchande originaire du Pays de Galles et d'Écosse, Philip Llewelyn Nicholas, et d'une mère anglaise, Christine Agnes Warwick. Selon le manuscrit de ses mémoires restées inédites[10], elle quitte Londres quand elle est enfant, car sa famille s'installe à Liverpool. Vers 1930, Isabel décide d'étudier les beaux-arts et s'installe seule à Londres où elle entre à la Royal Academy, d'où elle est renvoyée lorsqu'on apprend qu'elle pose comme modèle pour gagner sa vie. Jacob Epstein (1880-1959) l'invite à s'installer dans son hôtel particulier de Hyde Park Gate, en échange de séances de pose. Entre ces séances, elle continue à travailler à ses aquarelles, fait le portrait de la première fille d'Epstein, Peggy Jean, et s'intéresse à l'une des passions du sculpteur : sa collection d'art africain, composée de pièces pour la plupart achetées à Paris.

Epstein exécute trois bustes d'Isabel à partir de 1932, dont deux sont fondus en 1934. Cette année-là, Isabel fait une exposition de ses aquarelles, et les ventes lui permettent de payer son voyage à Paris. Epstein était connu pour avoir des aventures avec ses modèles, y compris en ménage à trois sous le toit conjugal. Pourtant Isabel, qui n'était pas puritaine et fait montre d'une grande candeur sur sa vie sexuelle dans ses mémoires, écrit : « La vie chez les Epstein ressemblait à celle d'une pension bien tenue. » Selon la famille d'Epstein, Isabel aurait eu en 1934 un fils du sculpteur, Jackie, qu'elle aurait abandonné derrière elle en quittant Londres ; il aurait suivi Peggy Jean aux États-Unis en 1949, après la mort de la première femme d'Epstein[11]. Quoiqu'il en soit, cet enfant n'est jamais mentionné dans les mémoires d'Isabel.

10. Registre manuscrit, Tate Gallery, inv. 9612.2.1.
11. www.epstein.org.uk/

Arrivée à Paris en septembre 1934[12] avec des lettres d'introduction d'Epstein, Isabel s'inscrit à l'Académie de la Grande Chaumière pour pouvoir travailler d'après modèle. Elle décrit ainsi le lieu : « Une école sans professeurs, une académie fréquentée par des personnes de tous les âges et de toutes les races, où l'on pouvait travailler d'après le modèle nu et payer à l'heure. Le matin il y avait des poses de trois heures, surtout pour les peintres, l'après-midi deux poses d'une demi-heure chacune et tout au long de la soirée des poses de dix minutes [...] c'est là que j'ai commencé à travailler à Paris et j'ai continué à y aller toutes les fois que je vivais à Paris. » Cette description n'est pas éloignée de ce que Giacometti avait connu lorsqu'il était lui-même élève, de 1922 à 1925 : des élèves de toutes provenances et une ambiance de grande liberté. Une différence toutefois : Isabel ne connaîtra pas les corrections d'Antoine Bourdelle, le professeur de Giacometti, qui était mort cinq ans plus tôt, en 1929.

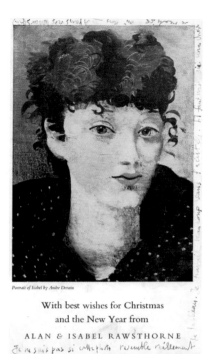

Fig. 23 André Derain, *Portrait d'Isabel*, 1936. Carte de vœux de nouvel an annotée, 11 x 20 cm. Paris, Archives de la Fondation Alberto et Annette Giacometti, Inv. 2003-1901.

Isabel va régulièrement au Dôme, un café situé tout près de l'Académie, sur le boulevard. Son apparence physique attire les regards : un visage de chat aux paupières presque bridées, un corps mince habillé de vêtements raffinés. C'est là que l'ancien marchand des surréalistes, Pierre Colle, la remarque et lui demande si elle accepterait de poser pour Derain (Fig. 23). Elle se rend à l'atelier du peintre et plaît aussitôt à Derain qui lui propose non seulement de poser pour lui mais lui offre un coin de son atelier pour y travailler. Isabel apprécie Derain, son humour, son panache, son intelligence, son sens de la tradition picturale. On compte six portraits d'Isabel par Derain, qui ne sont pas datés. Isabel exposera le portrait qu'elle avait conservé avec la date 1936 à la rétrospective *Derain* à la Royal Academy de Londres de septembre à novembre 1967[13]. Sachant que ces six portraits furent faits en deux temps, on peut émettre l'hypothèse que le premier date de 1935.

---

12. Selon les mémoires de Sefton Delmer, *Trail Sinister. An Autobiography*, Londres, Secker & Warburg, 1961, p. 241-242.
13. Numéro 84 du catalogue. Aujourd'hui au Fitzwilliam Museum à Cambridge.

La rencontre

Au Dôme, à la même époque, Isabel est aussi remarquée par un homme aux traits singuliers qui l'observe avec une intensité particulière pendant plusieurs jours. Un soir, comme elle se lève de table, Giacometti (car c'est lui) l'aborde en lui disant : « Est-ce qu'on peut parler ? » « À partir de là, nous nous rencontrâmes quotidiennement, toujours à 5 heures du soir. Il se passa des mois avant qu'il me demande de venir à son atelier et poser. Je savais déjà qu'il avait changé ma vie pour toujours. » Encore selon les souvenirs d'Isabel, ils visitent ensemble longuement le Louvre et d'autres musées, allant parfois jusqu'à Saint-Denis ou Versailles. Giacometti l'emmène chez les fondeurs de Rodin, qui moulent alors *La Porte de l'Enfer* et une de ses œuvres.

À cette époque, Giacometti fréquente des artistes proches de la revue *Abstraction-Création*, comme Jean Hélion ; il se rapproche aussi de peintres figuratifs, comme Francis Gruber, Balthus et Tal Coat, tout en continuant à exposer son œuvre surréaliste et ses objets d'art décoratif. Nombreux sont les Anglais avec lesquels Giacometti est en contact : le groupe constitué autour de la revue *Axis* depuis sa création en 1935, le critique Herbert Read, le groupe Circle, les artistes Ben et Winifred Nicholson, le surréaliste Roland Penrose et Syrie Maugham, qui diffuse en Angleterre les objets décoratifs commercialisés par Jean-Michel Frank à Paris.
En 1935, Giacometti expose à la galerie de Pierre Loeb avec le « groupe de l'Atelier 17 » ; ce groupe informel réunit les artistes qui fréquentent l'atelier de gravure établi en 1932 au 17 rue Campagne-Première par un Anglais installé à Paris depuis 1926, Stanley W. Hayter. En février 1936, Giacometti participe à une exposition intitulée *Abstract & Concrete. An Exhibition of Abstract Painting & Sculpture to-day* organisée par la revue *Axis*, qui voyage à Oxford, Liverpool, Londres, Cambridge et peut-être Newcastle. Il est ensuite sollicité pour une grande exposition surréaliste organisée par Penrose, dans laquelle figurent huit de ses œuvres, dont six prêtées par lui-même. Dans l'exposition, qui ouvre le 11 juin aux New Burlington Galleries, on voit la *Femme qui marche* en plâtre, une œuvre de 1932 que Giacometti n'a cessé de reprendre, lui ajoutant des bras et une tête en 1933 pour l'exposition surréaliste chez Pierre Colle, puis à nouveau en 1936 pour lui enlever ces appendices et ajouter un socle.

Dater les premières séances de pose d'Isabel n'est pas chose aisée. Si l'on admet qu'elle posa quelques mois après leurs premières conversations, il faut dater leur rencontre de la fin de 1935 et la première tête sculptée de 1936, qui est d'ailleurs la date sous laquelle elle est publiée pour la première fois en 1962[14]. Cette tête, aux volumes très classiques et clairement inspirée par l'Égypte, est exceptionnelle dans l'œuvre de l'artiste. Elle fut d'abord éditée en plâtre, dont un teinté en rose, accentuant son aspect charnel. Un moule à bon creux fut réalisé pour permettre cette édition, aujourd'hui non localisé. Il est notable que c'est la seule tête de cette époque que Giacometti accepte alors de diffuser ; elle est photographiée par Kollar chez Madame Artaud, dans un intérieur refait en 1936 par le décorateur Jean-Michel Frank, avec lequel Giacometti travaille. En 1962, Giacometti en édita en succession rapide six exemplaires en bronze. On ignore la date et les circonstances de l'édition en terre cuite, qui est apparue sur le marché après la mort de Giacometti, provenant de son frère Diego.

Cette première tête d'Isabel, un peu moins grande que nature, montre un volume lisse et rond, avec une qualité décorative et une sérénité qui étaient tout à fait absentes des têtes sculptées et des portraits peints depuis 1934. La référence à l'Égypte n'est pas ouvertement discutée entre artiste et modèle. Quand Isabel se rend à Berlin en 1938 avec son mari et visite le musée égyptien où elle voit la tête de Néfertiti, elle mentionne à Giacometti cette sculpture sans faire de référence particulière au portrait de 1936.

C'est précisément à cette époque, pendant l'été 1936, que Giacometti reprend à nouveau la *Femme qui marche* surréaliste. L'œuvre, dans sa version de 1933 **(Fig. 24)**, s'apparentait à un mannequin désincarné aux membres d'insecte proches de ceux de l'*Objet invisible* ; c'est ce modèle que Giacometti envoie à l'exposition surréaliste de Londres en lui ôtant les bras et la « tête », et en ajoutant un socle qui instaure un aplomb oblique. Ces modifications pour l'envoi à Roland Penrose ont certainement lieu pendant qu'Isabel pose dans l'atelier pour la première tête. Peu après le départ de l'œuvre, Giacometti décide de continuer à la modifier **(Fig. 25, 26)**, donnant naissance à la *Femme qui marche II*. Cette sculpture de 1936 est une œuvre charnière dans la production de Giacometti : elle établit

---

14. Exposition *Alberto Giacometti*, Kunsthaus, Zurich, 2 décembre 1962-6 janvier 1963, n° 22 : *Isabelle II*, 1936, bronze, 30 x 32 cm, collection particulière, Paris.

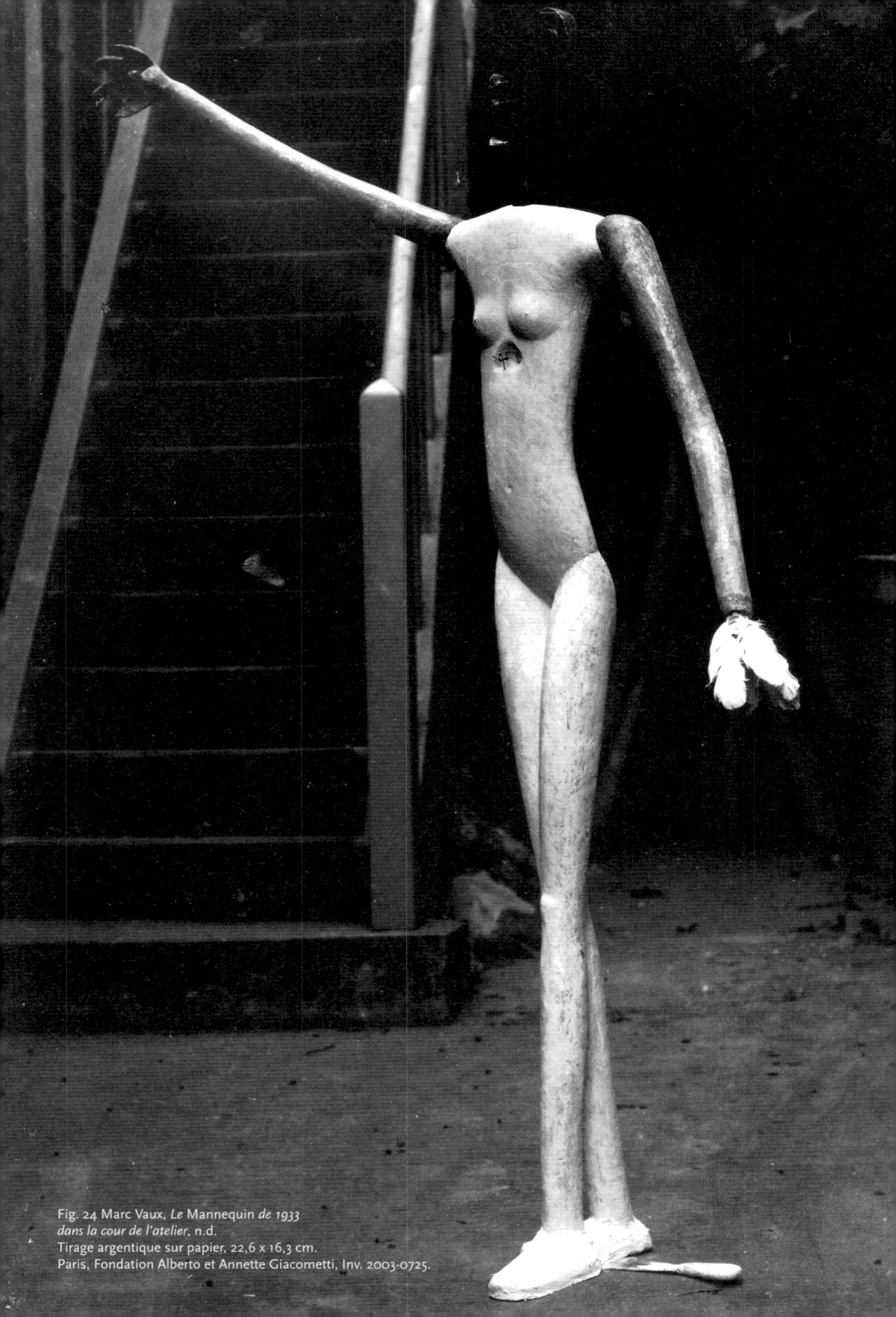

Fig. 24 Marc Vaux, *Le Mannequin de 1933*
dans la cour de l'atelier, n.d.
Tirage argentique sur papier, 22,6 x 16,3 cm.
Paris, Fondation Alberto et Annette Giacometti, Inv. 2003-0725.

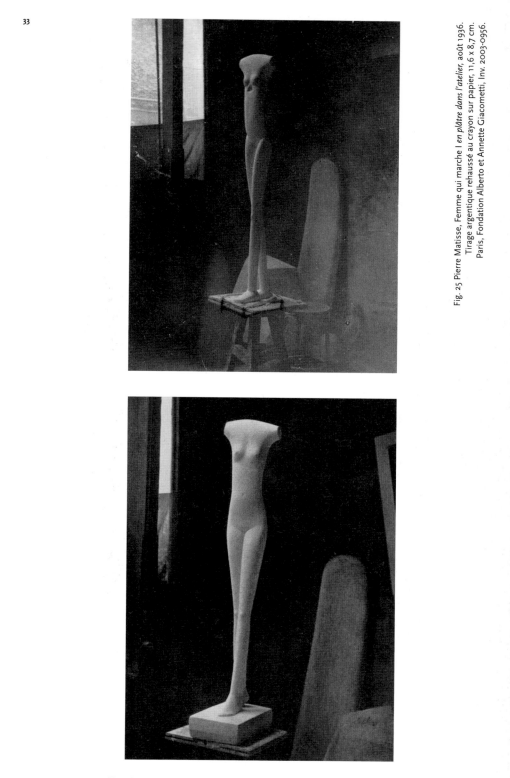

Fig. 25 Pierre Matisse, Femme qui marche I *en plâtre dans l'atelier*, août 1936. Tirage argentique rehaussé au crayon sur papier, 11,6 x 8,7 cm. Paris, Fondation Alberto et Annette Giacometti, Inv. 2003-0956.

Fig. 26 Brassaï, Femme qui marche II, *en plâtre dans l'atelier*, octobre 1936. Photographie parue dans le magazine *Werk*, 6 juin 1950, p. 184. Paris, Archives de la Fondation Alberto et Annette Giacometti.

le modèle de sculpture de femme de taille moyenne debout sur un socle qu'il développera après la guerre, dans une verticalité vacillante. Elle montre une présence corporelle qui était absente des œuvres de l'époque surréaliste. La hauteur de cette œuvre est d'autant plus notable qu'en 1936 les œuvres de Giacometti recommencent à rétrécir, une compulsion dont il avait été victime depuis l'enfance, et qu'il produit des bustes de plus en plus petits de Rita, Diego ou de Théodore Fraenkel, son médecin depuis l'époque surréaliste. Isabel contribue de façon évidente à réincarner l'œuvre de Giacometti en 1936, un effet visible dans la tête au galbe sensuel tout comme dans les courbes du corps féminin aux seins menus, aux hanches rondes et aux cuisses charnues, dont la simplicité des lignes et la pose, un pied en avant, font penser aux statues égyptiennes ou archaïques grecques. Il est possible qu'Isabel ait posé nue, ce qu'elle faisait déjà en Angleterre pour gagner sa vie, mais ce n'est pas certain : le canon corporel (petits seins hauts placés, taille fine, longues jambes) est celui de l'œuvre originelle, conçue avant que Giacometti rencontre Isabel.

Isabel entre dans le cercle de Giacometti, qui lui fait rencontrer Balthus ; ce dernier peint en 1937 *La Montagne* au son de la *Flûte enchantée* de Mozart dont elle lui a prêté le disque. Elle rencontre aussi Tristan Tzara, dont elle écoute les discussions passionnées avec Giacometti au Dôme. Elle voit aussi fréquemment Picasso « en général avec Alberto. Le travail d'Alberto piquait sa curiosité et parfois il se glissait rue Hippolyte-Maindron pour voir où il en était ». En 1937, elle accompagne les Balthus à Berne puis en Italie, pour un voyage à Vérone et Venise. Avec l'approche de la guerre, Saint-Germain-des-Prés prend la place de Montparnasse comme lieu de rendez-vous, et les Deux Magots et le Flore remplacent le Dôme. Isabel fait des portraits, se rend au zoo de Vincennes pour dessiner d'après les animaux, tout en continuant de voir Giacometti lorsqu'elle n'accompagne pas Sefton Delmer, chef du bureau de Paris du *Daily Express*, dans ses voyages en Italie, en Allemagne, en Europe centrale, puis en Espagne. Delmer, avec qui elle vivait depuis 1935, l'a épousée en 1936, mais les mœurs d'Isabel sont au diapason de ces temps mouvementés.

En 1937, son mari étant en Espagne comme reporter de guerre, Isabel quitte leur luxueux appartement de la place Vendôme et son atelier pour s'installer à l'hôtel Saint-Romain, rue Saint-

Roch, entre les Tuileries et la rue Saint-Honoré. Ne pouvant utiliser sa chambre comme atelier, elle se souvient : « C'est comme cela que j'ai commencé d'aller régulièrement rue Hippolyte-Maindron où Alberto et son frère Diego avaient leurs ateliers. J'arrivais vers 10 heures du matin et je m'asseyais pendant deux heures environ, avec un moment de repos de temps en temps pendant qu'Alberto travaillait la tête avec de très petits outils d'une façon très inhabituelle. Nous parlions beaucoup. L'atmosphère dans cette petite pièce était à la fois hypnotique et ordinaire. En face, de l'autre côté d'une petite allée, il y avait Diego qui travaillait aussi. C'est là que Diego menait à bien le travail pratique d'après les dessins d'Alberto, mais réalisait aussi d'après ses propres travaux. » (Comme un petit cavalier qui plaît beaucoup à Isabel.)

Pendant ces mois, Isabel pose pour une autre tête, au modelé plus nerveux, dont une version sera fondue à partir de 1958. Bien des années après, Giacometti la datera de 1938[15]. Cette datation est un terminus *ante quem*, car l'œuvre figure sur une photographie datable par le calendrier de 1938 punaisé au mur, **(Fig. 9)**. Cette tête est, comme la précédente, exécutée en terre et moulée en plâtre. Giacometti travaille selon une technique qui lui devient habituelle à partir de la fin des années 1930 : un moule à bon creux est réalisé à partir du plâtre original. De ce moule, plusieurs tirages en plâtre peuvent être tirés, ce qui permet à l'artiste de reprendre plusieurs tirages successifs en y ajoutant du plâtre frais ou en les taillant avec un canif. C'est ainsi qu'il subsiste deux plâtres tirés du moule de cette version d'Isabel, dont un conforme au bronze, et l'autre repris au canif et au crayon. Dans cette ultime version, jamais fondue, les lourdes paupières orientales d'Isabel sont grattées jusqu'à aplatir toute la surface de l'œil, le bout du nez est rétréci et les joues attaquées au canif et au crayon. C'est peut-être à la même époque, vers 1937-1938, que Giacometti reprend un moulage de la première tête, celle de 1936, pour l'attaquer aussi, même si c'est de façon moins délibérée et moins sophistiquée. Ce plâtre n'a jamais été jamais exposé par l'artiste de son vivant, et les circonstances de sa sortie de l'atelier de l'artiste sont inconnues de l'auteur de ces lignes[16]. Ces pulsions violentes rappellent que les rapports de Giacometti avec les modèles

15. *L'Histoire du buste au XXᵉ siècle autour de Bourdelle et depuis ses élèves*, Musée Bourdelle, Paris, 5 mai-15 septembre 1964, nº 59 : *Isabelle*, 1938, bronze, h. 22 cm ; *Alberto Giacometti: Sculptures, Paintings, Drawings, 1913-1965*, Tate Gallery, Londres, 17 juillet-30 août 1965, nº 24 : *Head of Isabel*, vers 1938, bronze, h. 21 cm, Ms Isabel Lambert, Londres.
16. La galerie Krugier, qui la possède, indique comme provenance une « collection particulière, France ».

et leur image ne sont pas simples. Elles sont rendues visibles dans les scarifications des yeux et des joues des portraits de sa mère et de son père dans les années 1920 et 1930, puis des portraits de Maria ou de Rita dans les années 1930, et encore dans le buste de son modèle japonais en 1960, ou sur le visage de Caroline dans ses portraits peints des années 1960. Il y a certainement là l'expression d'une frustration de la part de Giacometti en tant qu'artiste, et peut-être, dans le cas d'Isabel, en tant qu'homme. Néanmoins, se placer sur un plan anecdotique serait, me semble-t-il, une erreur. Capter la vie du modèle et la violence contenue de sa forme est en tout cas pour Giacometti l'objet d'un corps à corps tumultueux. « Même dans la tête la plus insignifiante, la moins violente, dans la tête du personnage le plus flou, le plus mou, en état déficient, si je commence à vouloir dessiner cette tête, à la peindre, ou plutôt à la sculpter, tout cela se transforme en une forme tendue, et toujours, me semble-t-il, d'une violence extrêmement contenue, comme si la forme même du personnage dépassait toujours ce que le personnage est. Mais il est cela aussi : il est surtout une espèce de noyau de violence. [...] La violence me touche dans la sculpture[17]. »

Giacometti accumule les têtes (**Fig. 27**), puis veut, pour sortir de l'impasse, tenter autre chose : « C'était en 1937. Comme c'était toujours impossible de réussir une tête, j'ai voulu faire des personnages entiers », mais il constate que ceux-ci rétrécissent toujours. Giacometti en identifie la raison : il est obsédé par une image qui empêche toute autre d'advenir. « C'est que la sculpture que je voulais faire de cette femme, c'était bel et bien la vision très précise que j'avais eue d'elle au moment où je l'avais aperçue dans la rue, à une certaine distance. » L'image d'Isabel au loin sur le boulevard Saint-Michel se traduit par une toute petite femme nue, à l'ana-

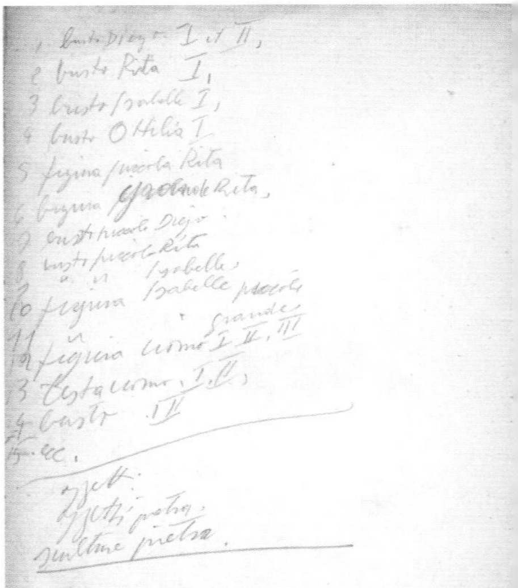

Fig. 27 Liste manuscrite d'Alberto Giacometti sur la dernière page du livre Maillol, Sa vie, son œuvre, ses idées, par Judith Cladel, Grasset, Paris, 1937. 16 x 23 cm. Paris, Archives de la Fondation Alberto et Annette Giacometti.

17. Entretien avec Georges Charbonnier, enregistré le 28 octobre 1950, diffusé le 2 mars 1951.

tomie miniature mais bien perceptible, sur un socle cubique. L'artiste a restitué sa vision lointaine, dans une échelle qui est pour lui plus réelle que le serait une taille inventée et arbitraire. Cette vision reste néanmoins avant tout imaginaire : qu'aurait pu faire Isabel nue sur le boulevard Saint-Michel ? L'œuvre clôt la série des femmes plates de 1928-1929, celles qui visaient à « saisir dans une sculpture et la tête et le corps et la terre sur laquelle il repose, en même temps on aurait l'espace, et la possibilité de mettre tout ce que l'on veut dedans[18] », ou encore à rendre ce qu'il admirait chez Laurens, « un espace de dimension indéfinissable qui nous en sépare, cet espace qui entoure la sculpture et qui est déjà la sculpture même[19] ». Elle reprend aussi le dispositif de la *Femme qui marche II* : une femme plantée sur un bloc. La datation de la sculpture est difficile, car la vision peut remonter à 1937, mais la réalisation en être plus tardive. Les photographies prises dans l'atelier avant-guerre sont beaucoup moins nombreuses qu'après-guerre, et les photographies de Marc Vaux, si elles documentent de nombreuses têtes et bustes de la deuxième partie des années 1930, y compris des bustes minuscules reproduits dans *Verve* en 1939, ne montrent aucune figurine debout.

Isabel pose à nouveau pour Derain : « Un jour que je me promenai le long du boulevard Saint-Germain en direction de ma boutique favorite, spécialisée en squelettes d'animaux, où se trouvait aussi une librairie de livres scientifiques, je rencontrai Derain qui arpentait aussi le boulevard. Il me dit qu'il aimerait peindre d'autres portraits de moi, et j'acceptai de poser le lendemain. Son atelier était en haut du jardin du Luxembourg, une pièce vaste très agréable. Il peignit une série de 4 ou 5 tableaux, le seul dont je me souvienne était le dernier : une assez grande toile, où je suis assise dans un fauteuil, en demi-grandeur je pense, portant une robe verte à manches longues. La couleur en était belle et la touche libre. » Elle souhaite ensuite acheter une peinture à Derain et se décide pour une nature morte représentant des cruches et des fruits. Pour célébrer la fin des séances de son portrait, Derain donne un dîner auquel sont conviés Giacometti et Balthus.

Les squelettes d'animaux qu'apprécie Isabel et qu'on retrouvera dans ses peintures, font certainement écho au squelette de ptéro-dactyle et à la colonne vertébrale suspendus dans le *Palais de 4 heures* de Giacometti (Fig. 28-30), dont la maquette en plâtre date de 1932 et le bois de 1933 (le plâtre est alors détruit). Envoyé aux États-Unis en décembre 1934 pour la première exposition mono-

18. Entretien avec André Parinaud, *Arts*, 13-19 juin 1962.
19. Alberto Giacometti, "Henri Laurens", *Labyrinthe*, 15 janvier 1945.

Fig. 29 *Le palais à quatre heures du matin*, 1932.
Huile sur toile, traces de crayon, 49,3 x 55,1 cm.
Paris, Fondation Alberto et Annette Giacometti, Inv. 1994-0575-1.

Fig. 30 Isabel Nicholas, détail de lettre manuscrite à Alberto et Annette Giacometti, n.d.
Plume et encre sur papier, 25,3 x 20,1 cm.
Paris, Archives Fondation Alberto et Annette Giacometti, Inv. 2003-1897.

Une est un
peu comme
ceci.
Le même
squelette vu
de deux positions
differentes.
un petit chauve
souris
en haut.

Le fond très pale grisâtre.

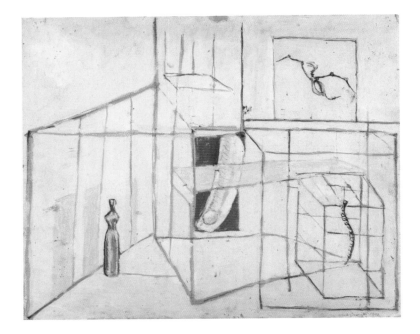

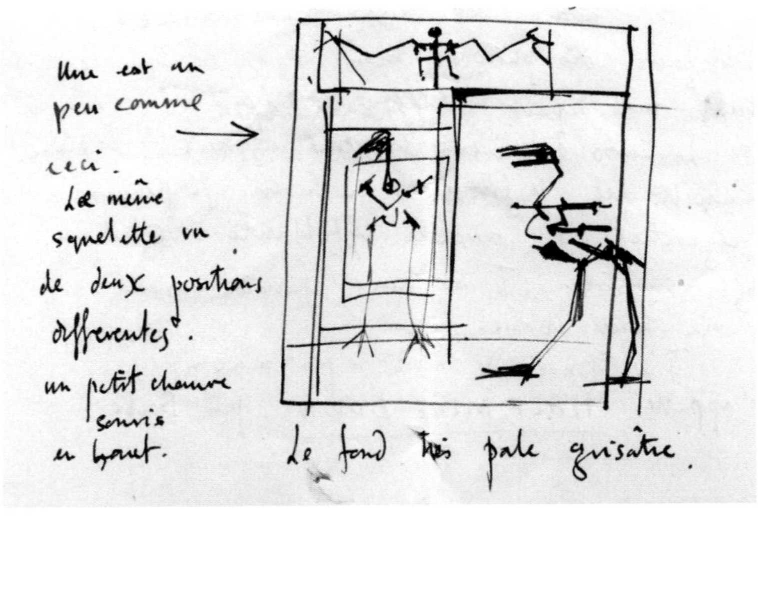

Fig. 28 *Le palais à quatre heures du matin*, 1932.
Carte postale envoyée par Patricia Matisse à Alberto Giacometti le 27 février 1962. 14 x 8,8 cm.
Paris, Archives de la Fondation Alberto et Annette Giacometti, Inv. 2003-1950.

graphique de Giacometti à New York dans la galerie de Julien Levy, le bois en revient en mars 1935, et reste visible dans l'atelier jusqu'à son envoi à New York fin novembre 1936 pour figurer à partir du 7 décembre 1936 dans l'exposition *Fantastic Art, Dada, Surrealism* au Museum of Modern Art, où il restera[20]. Il est sûr qu'Isabel put l'observer dans l'atelier de Giacometti en 1935 et 1936.

C'est place des Pyramides, près de l'hôtel qu'occupait Isabel, que Giacometti est heurté en 1938 par une voiture qui lui blesse le pied, un accident qui le conduisit à marcher pendant plusieurs années avec une canne et qu'il considéra comme une des étapes marquantes de sa vie. L'ambiance à Paris devient alors plus lourde, la guerre se rapproche. Au départ des Balthus pour la Suisse, Isabel s'installe dans l'atelier de la Cour de Rohan, achète de l'argile et se met à la sculpture. Retournée brièvement en Angleterre au moment de la déclaration de guerre, elle revient bientôt à Paris grâce au visa de son mari nommé correspondant auprès de l'armée française, et partage son temps entre Saint-Germain-des-Prés et la rue d'Alésia, où Giacometti a une chambre dans un hôtel. Puis son mari, avec l'ensemble de la presse, quitte Paris pour Tours. « Comme les Allemands se rapprochaient, je passais de plus en plus de temps rue Hippolyte-Maindron. Nous parlions ouvertement de l'effondrement de la France. Alberto était maintenant inquiet de trouver le moyen de protéger ses œuvres. Comme elles étaient très petites, des têtes de la taille d'une noix ou plus petites, je décidai que le mieux à faire était un trou dans le sol et de les placer là. Le reste il prendrait dans sa poche. Il s'angoissait pour sa mère et disait qu'il devait aller la voir en Suisse. En tant que Suisse, il pouvait aller et venir librement. Diego décida de rester à Paris et de veiller sur les ateliers. »

Après avoir remis de jour en jour son départ pour l'Angleterre, Isabel se décide à partir pour Tours puis Bordeaux, au moment de l'exode. « Il me restait un dernier jour et une dernière nuit à Paris. Je rencontrai Alberto à Saint-Germain [des-Prés], et Tzara qui s'en allait ce même soir quelque part dans le Sud. [...] Alberto me raccompagna vers l'hôtel Saint-Romain. Sur le chemin, nous nous arrêtâmes dans les Tuileries et nous assîmes sur un banc admirant l'herbe qui avait poussé jusqu'à hauteur de genou. C'était une belle nuit claire et les statues émergeaient de l'herbe avec grâce. Nous restâmes assis à nous tenir la main toute la nuit. Je pense que ni l'un ni l'autre ne pensions jamais nous revoir, mais nous savions que rien ne serait plus jamais pareil. »

20. Acheté par le musée new-yorkais, il ne reviendra pas à Paris.

La guerre séparément, en Angleterre et en Suisse

Pendant la guerre, leurs chemins divergent tout à fait, même s'ils parviennent à s'écrire, via le Portugal. Isabel, rentrée en Angleterre, travaille pour la "Propagande noire", les services secrets de contre-espionnage. Dans une propriété de la campagne anglaise, une équipe recluse composée en majeure partie d'Allemands réalise des brochures et des émissions de radio destinées à démoraliser les troupes nazies. Là, elle rencontre John Rayner, un écrivain et graphiste collectionneur de livres anciens et amateur de manuscrits élisabéthains. À cause de John Rayner avec qui elle a une liaison, elle se met à copier ces manuscrits qui altèrent son écriture de façon définitive, comme on le voit bien dans sa correspondance, notamment celle destinée à Giacometti. Pendant son temps libre, elle peint des cadavres de petits animaux en décomposition – lapereaux, chauve-souris, fouines, souris – et des champignons des bois.

De son côté, Giacometti participe à l'exode à bicyclette avec son frère, puis de retour à Paris, part pour voir sa mère quelques jours, mais se retrouve bloqué en Suisse par les événements. Sa vie en Suisse se passe entre Genève, où vit sa mère avec Silvio, le fils de sa sœur Ottilia morte en couches en 1937, et l'atelier de la maison de famille de Maloja, près du lac de Sils. À Genève, Giacometti se lie avec l'éditeur Albert Skira, qu'il avait rencontré à Paris du temps de la revue *Minotaure*, et les autres collaborateurs du journal créé par Skira, *Labyrinthe* : Roger Montandon et Charles Duclos. « Il venait tous les jours à ce que nous appelions, Roger Montandon et moi, la "rédaction". [...] Alberto apportait la bonne parole et nous l'écoutions. Il frappait le sol de sa canne pour marquer son approbation ou sa désapprobation à des idées lancées au cours de nos conversations. [...] Chaque soir à l'heure de l'apéritif, on se retrouvait, Alberto, son grand ami Duclos, Roger Montandon et moi, au café des Négociants, en face des bureaux de *Labyrinthe*[21]. » Le photographe Elie Lotar a fixé sur la pellicule la chambre-atelier de Giacometti à l'hôtel de Rives, où il continue de faire de petites figurines qui rappellent la petite sculpture d'Isabel d'avant-guerre.

21. Albert Skira, *Tribune de Lausanne*, 16 janvier 1966.

Paris est libéré en août 1944, l'armistice est signée le 8 mai 1945, mais Giacometti ne peut partir avant d'avoir fini une grande figure (Fig. 31). Il écrit à Isabel le 14 mai 1945 : « Je suis paralysé ici depuis 1942 venu (en regrettant infiniment de quitter Paris même pour peu de temps) décidé à rentrer au plus tard 5 mois après mais avec une sculpture telle que je la voulais ; je me suis trouvé après ce temps avec une sculpture qui n'allait pas du tout alors incapable de bouger j'ai renvoyé mon départ de jour en jour jusqu'à maintenant, travaillant autant que je pouvais. J'ai recommencé des nombreuses fois la même chose, passant à côté chaque fois. Ma figure finissait par devenir tellement minuscule chaque fois que le travail devenait impondérable et pourtant c'était presque ça que je voulais, seulement j'avais une certaine taille dans la tête à laquelle il fallait arriver et seulement depuis une année j'y suis mais pas au point que je veux (la taille oui). Je sais pourtant que je ne lâcherai plus celle à laquelle je travaille depuis septembre et que j'arriverai malgré tout au bout [...] je pense être très bientôt à Paris malgré tout et de vous voir et vous parler [...]. Mais il faut d'abord en finir ici, avoir un moulage, je ne peux rien faire avant ça et je tâche d'y arriver le plus vite possible, je n'ai rien d'autre dans la tête. »

Isabel parvient à obtenir un visa, comme reporter pour une radio pour laquelle elle écrit des reportages sur la vie à Paris et la mode. On lui assigne un hôtel dans les hauts de Montmartre, mais elle parvient à obtenir une chambre à l'hôtel Saint-Romain, réquisitionné par l'armée française. Le 30 juillet, alors qu'Isabel l'attend, Giacometti écrit : « Bientôt je vous verrai, ce n'est pas le manque de visa qui m'empêche de rentrer, je rentrerai quand je voudrai, oui c'est ma sculpture qui m'empêche de rentrer depuis 3 ans, qui me retient ici à Genève dans une vie suspendue. [...] La figure c'est vous et vous vue un instant il y a très longtemps, immobile boulevard St Michel, un soir. » Giacometti établit ainsi le lien entre la toute petite sculpture faite à Paris et la

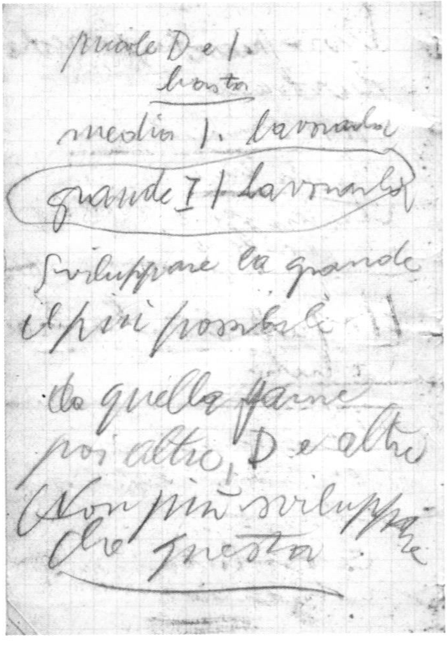

Fig. 31 Manuscrit d'Alberto Giacometti, vers 1945.
Carnet de marque « Papeterie Briquet et fils, Genève ».
Crayon sur papier quadrillé, 12 x 7,7 cm.
Paris, Archives de la Fondation Alberto et Annette Giacometti, Inv. 2000-0111.

dernière sculpture réalisée à Genève avant son départ, une grande femme en plâtre sur un chariot de bois. Les proportions du corps sont les mêmes, le socle cubique aussi, et la forme de la tête, avec son menton pointu, est caractéristique. La mémoire prodigieuse de Giacometti lui permet de faire naître devant lui le souvenir de quelqu'un avec une réalité presque physique. Dans ses carnets, il note les œuvres à faire : « Des petits D.[iego] et I. [sabel] c'est tout. Travailler à l'I.[sabel] moyenne. Travailler à l'I.[sabel] grande. Développer la grande le plus possible. De celle-là en faire d'autres, D.[iego] et d'autres. Ne plus développer que celle-là. Prendre une chambre, travailler et partir absolument[22]. »

Peu après son retour à Paris, Isabel quitte son travail du jour au lendemain et retrouve tous les amis d'avant-guerre : Tzara, Balthus, Derain aussi, qui est alors mis à l'index pour avoir participé au voyage des artistes en Allemagne pendant l'Occupation et que peu ont le courage de défendre, comme Francis Gruber. Elle vit d'une petite pension que lui envoie son mari Tom Delmer, dont elle est en train de divorcer. Balthus l'emmène chez Picasso : « Un matin nous arrivâmes dans l'atelier pour trouver Picasso presque nu, debout dans un carré de soleil dessiné par la fenêtre, en compagnie de deux amis espagnols. Comment va la peinture anglaise, demanda Picasso, pas très bien ? Contrairement à Balthus, je pense qu'il n'avait aucune considération pour l'art anglais [...]. Puis il dit : J'ai quelque chose à vous montrer. Il alla dans la pièce à côté et revint avec trois peintures, les retourna et, surprise, c'était moi. Elles étaient datées 1940. Quand il avait fait cette remarque à Alberto : "Je sais comment faire", il s'était effectivement attelé à le prouver. J'étais si surprise que j'oubliai de lui en demander une. Je suis sûre que si je l'avais fait il me l'aurait donnée. »

Cette anecdote éclaire d'un jour intéressant les rapports entre Picasso et Giacometti, qui mériteraient en soi une étude. Les remarques constantes de Giacometti sur son impuissance à rendre ce qu'il voit (dont on trouve des échos chez Isabel elle-même, dans sa correspondance), ne pouvaient que piquer Picasso, qui s'emparait de tout ce qui lui résistait et dont le génie créateur était fécond à l'extrême.

---

22. Carnet inv. 2000-0111, FAAG.

Paris après-guerre

Finalement, en septembre 1945, Giacometti rentre à Paris et laisse un message à Isabel pour qu'ils se retrouvent dans un bar. « Le bar était sombre et nous pouvions à peine nous voir. Je crois me souvenir que nous avons peu parlé et qu'il y eut beaucoup de silences. Je pense que nous étions tous deux épuisés. J'allai à l'atelier le lendemain, et tout semblait comme avant. Alberto était égal à lui-même, Diego allait arriver, Alberto continuait le travail fait en Suisse. »

Contrairement à ce qu'ils avaient prévu dans leurs lettres, Isabel ne s'installe pas avec Giacometti, comme son frère qui vient lui rendre visite en 1946 le confirme[23]. Mais Giacometti la présente à ceux qu'il a connus ou dont il s'est rapproché pendant la guerre, comme Jean-Paul Sartre, Simone de Beauvoir, Michel et Louise Leiris. Il lui fait rencontrer Georges et Diane Bataille, qui vivent alors à Vézelay mais viennent régulièrement à Paris, chez lesquels Isabel va passer des week-ends en 1946 et 1947. Giacometti travaille alors à des illustrations pour *Histoire de rats*, des portraits de Bataille et de Diane Kotchoubey de Beauharnais, que Bataille épouse en 1946. Des mémoires d'Isabel, on retient qu'elle appréciait beaucoup les Leiris et qu'elle s'amusait de Bataille pontifiant dans sa glorification de la débauche. Elle décrit Beauvoir enfermée dans un interminable soliloque où l'interlocuteur ne peut entrer. Isabel fait aussi partie du groupe d'amis autour de Tal Coat, Francis Gruber et Diego Giacometti. En 1946, Giacometti réalise des portraits sculptés de Beauvoir, de Marie-Laure de Noailles, de Pierre Loeb. Dans les clichés de Marc Vaux pris à l'atelier pendant l'automne 1946, apparaissent une série de bustes allongés de femme, à la coiffure haute, qui ne sont pas des portraits mais dont la silhouette évoque les dessins qu'il fait d'Isabel, dont certains sont datés 1947. Mon hypothèse est que ces sculptures sont des bustes de mémoire d'Isabel, et que cette série continue en 1947 avec des figures debout, reprenant les figures féminines antérieures. Giacometti ne disait-il pas en 1963 à Pierre Dumayet, à propos de son amie anglaise et de son effort pour faire grandir ses figures de femme : « Au lieu de se réduire comme ça [en hauteur], elle s'est réduite comme ça [en largeur]. »

23. Courriel à l'auteur, 17 juin 2007.

En 1947, apparaissent dans l'atelier des figures étirées et grumeleuses à la coiffure haute qu'on ne voyait pas en 1946 sur les photographies d'Henri Cartier-Bresson, d'Émile Savitry ou de Marc Vaux. Sur ces photos de 1946, dont certaines sont publiées dans *Cahiers d'Art*, il y a les toutes petites figurines qui le rendent alors célèbre. Certaines sont peut-être celles cachées dans le sol de l'atelier avant-guerre en présence d'Isabel. En tout cas, tout Paris bruit de la belle histoire selon laquelle Giacometti aurait rapporté toute sa production des années de guerre passées en Suisse dans quelques boîtes d'allumettes. Peu importe que cette production ait précédé de beaucoup la guerre – peu de gens en avaient alors connaissance, même si la revue *Verve* en avait publié des exemples en 1939. En 1947, une nouvelle époque s'ouvre pour Giacometti, qui a renoué avec le marché de l'art. Plus de portraits mondains ou de commandes comme en 1946 : il prépare sa première exposition d'après-guerre, dans la galerie de Pierre Matisse à New York, et c'est une période de production intense. Les figures allongées s'entassent dans l'atelier, qui prend à l'automne 1947 l'allure d'un chantier de construction, photographié par Brassaï pour *Harper's Bazaar* et par Patricia Matta. Les tas de plâtre sont si hauts que Giacometti raconte qu'il doit se frayer un chemin avec une pelle. De ces décombres, émergent des figures spectrales, travaillées directement en plâtre, dont plusieurs ont une coiffure haute caractéristique. Parmi les femmes notables de l'entourage de Giacometti, seule Isabel a une telle coiffure.

Son visage allongé se reconnaît sur un portrait peint sur toile qui ne ressemble à rien dans la production de Giacometti à l'époque, sinon à un autoportrait esquissé qui en est presque le pendant. Giacometti choisit la toile représentant Isabel pour figurer dans son portrait par Brassaï pour *Harper's Bazaar* : il place cette peinture au premier plan à droite, tandis qu'il est assis en retrait sur le canapé. En travers, sur le même plan que la peinture, surgit la *Main* en plâtre, une œuvre qui rappelle les images des membres éparpillés par les bombardements sur les routes de l'exode.

Ce n'est finalement pas cette photographie qui sera publiée en janvier 1948, et Giacometti le regrette, commentant le portrait choisi : « Je ne m'y reconnais ~~pas~~ mal (il y avait une photo meilleure) [24]. » Sur la toile, Isabel a une tête plate comme un

24. Lettre à Pierre Matisse, janvier 1948, archives de la galerie Pierre Matisse, The Morgan Library and Museum, New York, boîte 11, dossier 6, lettre 26.

disque vu de profil et une bouche qui font presque penser à celles d'un poisson, un des animaux qu'elle étudie dans ses œuvres. Le poisson vit en milieu liquide, Isabel aussi. Tout le groupe autour de Giacometti, dont Isabel, boit au-delà du raisonnable, y compris des alcools frelatés obtenus au marché noir. À l'enthousiasme de se retrouver vivants se mêle, chez tous, la douleur du souvenir de ceux qui ont perdu la vie pendant la guerre, comme le modèle Sonia Mossée, dénoncée comme juive et envoyée en camp de concentration. Sentant qu'elle sombre dans l'alcoolisme et qu'elle ne parvient pas à travailler, déçue par une courte liaison avec le compositeur René Leibowitz, Isabel part fin 1946 s'installer quelque temps à la campagne, dans une maison dans l'Indre que son ami Peter Rose Pulham vient de libérer, afin de se consacrer à la peinture. Après quelques semaines, elle trouve le courage d'écrire une lettre à Giacometti lui décrivant ce qu'elle fait – il est clair que Giacometti est pour elle une référence éthique constante par son attitude face à la création. Elle passe dans cette maison quelques mois, à faire des gouaches faute de peinture à l'huile, peignant des cadavres d'animaux ou des natures mortes.

Si l'on ne décèle plus de traces régulières d'Isabel dans l'œuvre de Giacometti après 1947, leur relation amicale se poursuivra bien au-delà. En 1947, Annette Arm, que Giacometti avait rencontrée à Genève pendant la guerre, s'installe rue Hippolyte-Maindron et devient son modèle fétiche, celle avec laquelle commence une nouvelle aventure. Isabel décrit Annette comme « charmante, gaie, pleine d'esprit et ouvertement heureuse. Elle entra dans le rythme d'Alberto avec la plus grande facilité. Elle a une intelligence aiguë bien à elle. Nous sortions souvent ensemble la nuit, dans les Halles et nous amusions bien toutes les deux ».

En octobre 1947, Isabel épouse le compositeur anglais Constant Lambert, et vit désormais entre l'Angleterre et Paris. Isabel fait une exposition de ses œuvres à la Hanover Gallery, une galerie ouverte en 1947 par Erica Brausen. Cette dernière l'avait approchée fin 1948, au même moment que E.L.T. Mesens de la London Gallery, pour lui proposer une exposition. Isabel se décide pour la Hanover Gallery et l'exposition ouvre en février 1949 ; Isabel aurait voulu une préface de Michel Leiris, qui sera finalement écrite par Peter Pulham. C'est en préparant cette exposition qu'Isabel se rapproche vraiment de Francis Bacon, qu'elle avait rencontré à Paris par le truchement de Peter Rose Pulham. La même année, 1949, Giacometti peint sa dernière peinture d'Isabel, assise sur le canapé de l'atelier. Sa forme indécise et fantomatique, petite dans l'espace de la toile empli de brume argentée, fait penser à un portrait de mémoire, comme celui de *La mère de l'artiste* en 1951 (Musée national d'Art moderne, Paris).

En 1951, Isabel dessine les décors et les costumes du ballet *Tirésias*, dont son mari écrit la partition ; rongé par l'alcool, ce dernier meurt le 21 août 1951, peu après la première représentation. Le ballet sera présenté en 1954 à l'Opéra de Paris. Pendant ces années, Isabel vit dans un relatif isolement, rompu par les Giacometti ou les Leiris ; en mars 1952, elle participe à une journée entière d'agapes chez Lipp pour fêter le départ de Michel Leiris vers les Antilles. « Vu Alberto plusieurs fois. Hier chez lui. Portraits partout. Café au Dôme à minuit. Qu'il est gentil envers moi ! Notre relation est pleine de charme maintenant – au moins pour moi. J'espère qu'elle en a autant pour lui. Je pense que je suis devenue plus compréhensive dernièrement. Je l'aime vraiment beaucoup. Une heure de conversation avec lui est comme une longue vacance, je veux dire que cela a un effet vivifiant. Je fais très attention de ne pas être là trop souvent par peur de devenir ennuyeuse[25]. » La série de photos **(Fig. 32, 33)** que fait John Deakin d'elle en 1952[26], le visage couvert d'un voile sombre brodé de sequins, montre les ravages de l'alcool sur son physique. Elle en envoie une à Giacometti, avec le commentaire sybillin au dos : « do you ? »

En juillet 1952, Isabel participe avec Giacometti, Francis Bacon, Balthus, Francis Gruber, Lucian Freud et André Masson à une exposition organisée à l'Institute of Contemporary Art de Londres, *Recents trends in realist painting*, dont le comité de sélection comprend Peter Watson et David Sylvester. Toutes les œuvres ne sont en aucun cas réalistes, et l'exposition revendique dans la préface son « éclectisme jusqu'à l'absurde ». En mars, Isabel avait averti Giacometti d'une discussion programmée à l'ICA qu'il lui dit souhaiter venir perturber[27]. Mais c'est seulement en juin 1955 que Giacometti se rend pour la première fois à Londres, à l'occasion de son exposition à

25. Lettre à P.R. Pulham, Tate Gallery, 9612.1.3.76
26. Grâce aux efforts de Hatty Vidal-Hall et de Geoff Laycock, en charge des archives de John Deakin, il a été possible de retrouver les trois autres images, dont seule une photocopie existe dans les archives d'Isabel à la Tate Gallery, 9612.4.1.12 à 14.
27. Lettre à P.R. Pulham, Tate Gallery, 9612.1.3.76

Fig. 32 John Deakin, *Isabel voilée*, 1952.
Tirage argentique sur papier, 11,2 x 10,8 cm.
Paris, Fondation Alberto et Annette Giacometti, Inv. 2006-1149.

Fig. 33 John Deakin, *Isabel voilée*, 1952.
Tirage argentique sur papier, 6 x 6 cm.
Liverpool, A Fondation James Moores Office, Inv3047

l'Arts Council Gallery. Isabel lui sert de guide, mais elle n'est pas son seul contact à Londres. Nombreux sont les Anglais qui le soutiennent fidèlement depuis 1947, comme H.D. Molesworth (qui l'inclut dans l'exposition de plein air de Battersea Park en 1951 et lui rend visite régulièrement à Paris), John Rothenstein (qui acheta les premiers Giacometti pour la Tate Gallery en 1949), ou David Sylvester (qui l'avait rencontré chez les Leiris en 1948[28] et est le commissaire de la rétrospective organisée par l'Arts Council en 1955), sans parler de Peter Watson, qui lui a ouvert les colonnes de la revue *Horizon* dès juin 1949 ou de Sir Robert Sainsbury, qui achète ses œuvres en même temps que celles de Francis Bacon.

La lecture de la correspondance qu'Isabel entretint avec Peter Rose Pulham[29], un photographe devenu peintre, montre l'étendue de l'influence des idées de Giacometti sur le cercle anglais d'Isabel, dès 1947. Le 31 novembre 1948, Pulham lui écrit de Paris, en français : « Le quintessentialisme : nom à présent appliqué à divers écrivains, sculpteurs et peintres du XXe siècle – Queneau, Ponge, Prévert, Giacometti, Nicholas, Pulham, etc. Ils ont tâché de s'identifier avec le sujet de leurs recherches d'une manière subjective afin d'obtenir le maximum d'objectivité dans l'œuvre terminée ; et vice-versa. Le chef de l'école est peut-être le peintre gallois ou cornouillien I.[sabel] Nicholas qui, avec ses peintures de poissons, d'oiseaux et de paysages peuplés avait le premier précipité le besoin de trouver une nomenclature pour pigeon-holer [*sic*] ensemble plusieurs personnages assez différents – mais Queneau, dans ses études et exercices, Ponge dans ses natures mortes d'une pomme de terre, etc. et Pulham, d'abord avec ses œufs et ensuite avec ses nus, travaillaient déjà dans la même voie. L'influence de cette école s'est d'abord fait sentir en tuant le faux romantisme de l'école anglaise, et en même temps le formalisme des pasticheurs de l'école de Paris, avant de s'établir comme le mouvement le plus (mot indéchiffrable [*sic*]) du siècle (Larousse)[30]. » Dans les années 1950, Pulham, qui fréquente Roland Penrose, David Sylvester, Lucian Freud, Peter Watson et les cercles de l'Institute of Contemporary Arts de Londres, lui confiera depuis l'Indre : « Je pense que j'ai aussi d'une certaine manière été influencé par <u>vous-même</u>, par votre <u>attitude envers la peinture</u>, votre travail <u>ici</u> qui m'étonnait à

28. D. Sylvester, préface de *Looking at Giacometti*, Holt & company, New York, 1996.
29. Conservée dans son intégralité dans les archives de la Tate Gallery.
30. Tate Gallery, 9612.1.1.17.

l'époque – et vos poissons et oiseaux plus tard, et votre idée de la "réalité". Quoi ou qui vous a influencé vous-même je ne peux dire. J'imagine que vos vues de villes ont été influencées par Alberto et par moi. Je suis influencé par Alberto pas directement mais <u>via vous</u>[31]. »

Dès 1952 puis à nouveau en 1954, Isabel lui transmet les pensées de Giacometti sur Derain[32], que Giacometti développera vraiment sous forme écrite en 1957 pour la revue *Derrière le miroir*. Giacometti est allé rendre visite à Derain avec Balthus au début de 1952, et en 1954 a lieu une exposition d'hommage à la galerie Charpentier qu'Isabel et Giacometti visitent ensemble. S'il serait exagéré d'attribuer à Isabel tout le crédit de l'influence de Giacometti sur l'École de Londres[33], son rôle de vecteur des idées de Giacometti auprès de ceux qu'elle côtoie, comme Eduardo Paolozzi ou Francis Bacon, ne doit pas être négligé. Dans le contexte de l'immédiat après-guerre, Giacometti est l'un de ceux qui proposent une voie à l'écart de l'abstraction qui soit vraiment novatrice. Elle est souvent lue à la lumière de l'existentialisme et de la phénoménologie de la perception, ce qui ne semble pas être le cas d'Isabel.

Les rapports de Giacometti et d'Isabel se poursuivront de façon plus épisodique après l'installation de cette dernière dans un cottage de l'Essex avec le compositeur Alan Rawsthorne, qu'elle épouse en 1953. Giacometti, dont la fidélité en amitié est toujours sans défaut, lui offre un tirage en bronze de la tête de 1938, puis de celle de 1936. C'est au moment de sa rétrospective à la Kunsthaus de Zurich que le nom d'Isabel est dévoilé au public.

Perpetuating the transient [Perpétuer l'éphémère] est le titre fulgurant que David Sylvester donna à son essai sur Giacometti pour l'exposition de Londres en 1955. Pourtant, dans l'essai lui-même, Sylvester parlait du sens de la perte qui va avec la conscience de l'éphémère, mais pas de la faculté de l'art de Giacometti de s'instaurer dans une mouvance continuelle, de documenter le transitoire. Pour cela, Giacometti fait appel à des matériaux traditionnels qu'il détourne de leur emploi commun – le crayon qui grave le papier, la peinture qu'il accumule, qui coule et boursoufle, le plâtre qu'il agglomère

31. Lettre de P.R. Pulham, Tate Gallery, 9612.1.1.20.
32. Lettres à et de P.R. Pulham, Tate Gallery, 9612.1.1.25 2 et 9612.1.3.69.
33. Sur l'École de Londres, voir notamment Michael Peppiatt, *L'École de Londres*, L'Échoppe, Paris, 2006.

en « grumeaux », le bronze qu'il traite en brindilles fragiles aux patines qui évoluent dans le temps. Il est tentant d'en rapprocher les peintures d'Isabel d'après des cadavres en décomposition, même si elles se tiennent à ferme distance des œuvres de Giacometti. Qu'Isabel ait exploré cette thématique depuis les années 1930 montre bien qu'elle lui était personnelle. Après-guerre, Giacometti cherche, lui, à déceler la mort à l'œuvre dans la vie, pour restituer dans ses peintures et dans ses sculptures le flux continu et l'impermanence qui est le caractère même du vivant, dans une succession d'états transitoires. Et s'il est excessif aussi de dire que les idées d'Isabel ont eu une influence sur Giacometti, il reste que dans son œuvre la présence d'Isabel Nicholas, avec son élégance et ses excès, sa culture et sa sensualité, a laissé des traces à nulle autre pareilles – de sa tête d'après nature de 1936 à la grande figure de mémoire de 1947 –, ces œuvres ont accompagné la propre transition de Giacometti de la sortie du surréalisme jusqu'au style de sa maturité.

Correspondances

Isabel à Alberto Giacometti
Carte postale manuscrite au crayon.
FAAG, inv. 2003-1877

Au verso : *La vergine col figlio, S. Francesco e S. Giovanni.*
Lorenzetti / Chiesa di S. Francesco-Assisi

Mrs Nicholas
4 Hilton Road
New Milton.
Hampshire
Angleterre

Isabel à Alberto Giacometti
Lettre manuscrite à l'encre noire sur papier bleu.
Deux feuillets recto verso, 26,8 x 20,3 cm
FAAG, inv. 2003-1878

[1937]

4 Hilton Road
New Milton
Hampshire
Dec. 8th

Je ne sais pas si cette lettre va jamais arriver parce que je n'ai qu'une vague idée de votre adresse. Je me rappelle vaguement d'une blague qu'on a répétée plusieurs fois à propos d'un certain tableau de Botticelli. J'ai passé chez vous le jour que j'ai indiqué mais sûrement j'étais très en retard parce que vous étiez parti. L'atelier était tout en noir. J'espère que le voyage n'était pas trop triste et que vous êtes maintenant en plein travail. D'ailleurs j'en suis sûre. Excusez-moi si cette lettre est très mal écrite. Je crois que j'ai tout oublié, le Français et beaucoup d'autres choses aussi.
Il faisait un temps extraordinaire pour l'Angleterre ces jours ci. La Neige. C'était très très beau, spécialement les bords de la forêt, où je me trouve à ce moment. Je suis chez ma mère, je ne sais pas pour combien de temps. Probablement encore deux semaines. Si je ne pars pas pour Barcelone (qui n'est pas

très possible) je vais rester en Angleterre jusqu'au vingt-huit, vingt-neuf décembre.

Je crois la paresse dans laquelle j'étais presque éteinte (?) est bientôt vaincue. Mais je dois absolument m'établir quelque part pour toujours. J'ai commencé par m'acheter un chien magnifique, qui s'appelle en anglais un Bull-Mastiff. Ils sont grands, très lion dans les mouvements avec des énormes mâchoires carrées. Vous comprenez c'est pour m'établir.

Assez de projets.

Je me demande si vous avez vu dernièrement les Balthus ou Derain. Le dernier sûrement. Quand vous le voyez la prochaine fois donnez-lui mes souvenirs. J'ai vu l'autre jour une jeune femme très jolie, très blonde, qui m'a dit qu'elle a posé pour vous. Elle est soit américaine soit anglaise. Elle s'appelle je crois Mayo ou quelque chose comme ça.

Je me sentais très coupable quand elle m'a demandé qu'est-ce que vous avez fait de moi.

Je vois que notre ami tellement fier est sur un chemin plus dangereux que vous pouvez vous imaginer, et ça ne m'étonne pas du tout que les tableaux sont comme ils sont. L'exemple parfait – la nature morte.

Je crains que vous ayez perdu toute votre foi en moi. C'est compréhensible, je l'ai presque perdue moi-même. Je ne parlerai plus de tout ça avant que j'ai fait quelque chose. Une petite révolte. Mais, pour parler sérieusement, quand je reviens j'espère qu'il y aura quelques sculptures chez vous pour remporter en Angleterre ?

Tom s'y intéresse beaucoup aussi. Je n'ai rien d'intéressant à raconter. Je n'ai vu presque personne et je poursuis un chemin très plat et très étroit, avec un paysage monotone. Pas d'arbres, même pas une fleur. Des petits buissons, des petits trous boueux.

S'il y a quelque chose que vous voudriez d'Angleterre, prévenez-moi.

Isabel

Alberto Giacometti à Isabel
Brouillon de lettre sur papier quadrillé, manuscrit à la plume et
encre noire, dans enveloppe beige vierge.
Un feuillet recto verso, 20,9 x 27,2 cm
FAAG, inv. 2003-1879

[1938 ?]

Paris jeudi.

6 heures 1/2, café Bonaparte, il fait nuit depuis longtemps, il
pleut, j'étais dehors toute la journée, pas très bien, parce que
hier soir après dîner chez Donald[1] (que j'avais vu une seule
fois) en parlant je continuai à boire des petits verres de fine
sans faire attention, étonné vers une heure d'avoir la tête dans
un curieux état, assez agréable d'ailleurs. Ma phrase se perd
et cette plume est épouvantable mais je ne peux pas attendre
plus longtemps, Isabel, pour vous remercier de m'avoir donné
de vos nouvelles, j'étais très content parce que votre silence
m'inquiétait : et tous les jours un peu plus.
(J'étais interrompu pendant une demi heure par une jeune fille
qui est entrée ici, c'est l'amie de Donald, une américaine assez
jolie, plutôt italienne, avec un visage très fin).
J'ai fait mettre des beaux rideaux aux fenêtres de mon atelier
et je travaille depuis bientôt huit jours. Infiniment mieux ici
pour travailler qu'en Suisse et très envie de continuer. J'espère
à votre retour d'avoir quelque chose de fait, même – peut-être
si vous êtes ici dans huit jours, ce que je voudrais mais je n'ose
pas trop y penser, j'ai peur d'être déçu et de ne pas vous voir
pour plus longtemps que je ne voudrais – j'espère que non.

1. Donald MacLean (1913-1983), devenu plus tard célèbre en tant qu'espion à la solde
de l'Union soviétique.

Alberto Giacometti à Isabel
Lettre manuscrite à l'encre noire sur papier à lettres beige.
Deux feuillets recto verso, 17,8 x 27 cm
Tate Gallery, inv. 9612.1.2.9

[1938 ?]

Paris, samedi

Depuis des jours je porte ce papier dans la poche pour vous écrire mais vers le soir, quand je voulais le faire, je sortais toujours fatigué d'être resté debout et en plus à moitié malade, ayant pris froid et j'étais incapable de faire quoi que ce soit. Aujourd'hui je me suis arrêté plus tôt de travailler et je suis venu ici au Bonaparte qui est depuis un certain temps mon écritoire. Mais c'est 6 heures ! J'ai quitté l'atelier à trois heures 1/2, il me faut du temps pour me remonter un peu, mais c'est à cause des restes de la grippe. Je ne sais pas si vous avez reçu ma dernière lettre, je crois qu'elle était assez mal, mais je ne me rends pas bien compte, j'espère seulement que vous ne l'avez pas trouvée tout à fait impossible. Tous ces jours, d'une manière latente je voulais vous écrire, je le fais souvent mentalement, pas très précis.
Et si je vous écris je voudrais vous raconter ce qui se passe et là il n'y a pas grand-chose. J'ai beaucoup travaillé, eu très froid, de véritables très belles journées d'hiver. Recommencé plusieurs fois les mêmes choses, je voudrais arriver aux proportions et aux dimensions que je veux et bientôt retravailler avec modèle. Est-ce que vous travaillez, Isabel ? Que faites-vous ?
J'ai recommencé plusieurs têtes en terre, assez grandes et maintenant j'en ai à différentes échelles et je travaille un peu à toutes mais je ne vais pas laisser tomber les petites. Sinon, rien vu, rien lu d'intéressant. Je suis incapable de vous décrire ce que j'ai vu dans ma chambre avant-hier, et qui m'a émerveillé. Je m'étais étendu vers le soir et endormi, en me réveillant vers 6 heures je regarde le plafond blanc et je remarque deux assez grandes taches pas encore vues, alors je regarde le reste du plafond et tout d'un coup je vois juste devant moi un fil comme un fil d'araignée mais c'est un fil de poussière, fin fin qui pend du plafond qui est assez haut. Tellement fin qu'on ne voit pas exactement où il est accroché à quel point sur la surface blanche, mais vers le bout il est plus épais sur une petite longueur puis mince de nouveau et un point au bout. Le fil n'était pas immo-

bile malgré la fenêtre fermée, mais en continuel mouvement, formant une grande courbe, soulevant baissant, tendant la tête, ou la gardant presque immobile pendant que le corps avait les mouvements les plus inattendus et variés. C'était comme un animal d'une manière hallucinante, un serpent et jamais aucun animal n'a fait des mouvements d'une telle beauté, je suis incapable de les décrire, légers et grands et toujours diffé-rents. J'avais naturellement l'impression d'être moi en haut, de regarder vers le bas. Ça a sûrement l'air absurde d'écrire ça, ou il faudrait savoir l'écrire mais sûrement vous auriez trouvé que ça valait très la peine de regarder. C'était aussi comme une danseuse avec une grâce, et une élasticité sans aucune limite. Il y avait aussi des mouvements qui commençaient tout en haut et se développaient comme des ondes jusqu'au bout qui, lui, bougeait à peine. À la fin, je suis monté debout sur le lit pour voir de plus près, c'est très joli, incompréhensible comment ça tient ensemble (c'est comme une suite de petits points) et comment ça supporte tant de mouvement. Je ne l'ai plus beaucoup regardé depuis, mais il est toujours là, même un petit peu allongé (il y avait l'accompagnement de l'ombre en plus), je m'arrête mais le sujet n'est pas du tout épuisé. Il faudrait dire ça tout à fait autrement, mais dessiner les courbes ça serait encore plus difficile, tout à fait impossible. Le plus curieux, c'est que rien ne pourrait faire de tels mouvements, seulement cette position suspendue et cette finesse les rend possible, aucun animal ni aucune plante n'en serait capable, Et puis c'est étonnant que dans une pièce fermée il y a un tel mouvement dans l'air, ça doit être plutôt à cause de la chaleur et le froid provoqué par le chauffage, mais je ne sais pas, natu-rellement les mouvements étaient très lents. Assez, vous lirez tout ça ? Voilà le plus grand événement de la semaine. Le soir je sors et je vois à peu près les mêmes gens que d'habitude. Fait la connaissance d'un jeune peintre américain très bien, il a une jolie ou plutôt belle tête, il semble que les femmes (témoignage de Linda[2], amie de Donald, et d'autres femmes) ne l'aiment pas, trop fou ou trop sale. Il connaît beaucoup de choses, il dessine bien mais il voudrait être amoureux parce que, dit-il, un homme sans femme qu'il aime n'est qu'un demi-homme, je lui dis qu'à son âge, ça n'a pas grande importance et de prendre des femmes qu'il n'aime pas. D'ailleurs je le vois très peu (connu par Linda), Tzara assez bas, Sonia[3] pas drôle,

2. Melinda Marling, Américaine qui épousera David MacLean en 1940.
3. Sonia Mossée, modèle de Derain, fréquentait Giacometti, Artaud et le cercle de Simone de Beauvoir pendant la guerre. Dénoncée comme juive, elle périt en camp de concentration.

Marc tragique, Gruber[4] flottant, un soir avec Sonia chez Bianca L. impossible. Vu chez Colle[5] un tableau de Balthus, nature morte sur un bout de cheminée, petit enfant qui tient la main. Je ne sais pas encore si c'est le meilleur ou le plus mauvais tableau qu'il a fait, c'est peut-être les deux en même temps. Pendant un certain temps avec une femme (avec deux très jolis petits enfants) (assez curieuse histoire, peut-être pas), c'est fini, un peu occupé par d'autres, elles sont sur le même plan comme des ombres. Plus là où Tzara voudrait toujours me voir ! Je dis ça seulement parce que je pense à ce que nous disions à Montmartre dans le café à votre arrivée, je suis arrivé sur un plan un peu flottant et je m'arrête (c'est très idiot de dire ça) j'ai mal à la tête.

Les derniers jours je pensais que peut-être vous serez bientôt à Paris et je suis très impatient, ou plutôt je voudrais beaucoup trouver une lettre chez moi. Tous les jours je me demande ce que vous faites, comment vous allez (pas comme ça), il y a dans ma tête une place qui est tout le temps prise.

Votre Alberto.

[P.S.] Vous m'écrirez Isabel ?

---

4. Francis Gruber (1912-1948), peintre.
5. Pierre Colle avait une galerie rue Cambacérès. Giacometti y eut sa première exposition personnelle en 1932.

Isabel à Alberto Giacometti
Lettre manuscrite à l'encre noire sur papier gris
à en-tête imprimé.
Trois feuillets recto verso, 24,3 x 18,9 cm
FAAG, inv. 2003-1880

[été 1939]

Hotel Europejski
Warszawa [Varsovie]

Tuesday

Je suis ici déjà [depuis] plusieurs jours. Comme j'ai dit les événements nous ont empêchés de continuer notre voyage. Nous avons même dû passer par Danzig. Nous sommes restés quelques jours là-bas et je ne le regrettais point. C'est une très belle ville, qui me rappelait un peu Amsterdam. Il y a naturellement une influence hollandaise à cause de la ligue hanséatique : les maisons dix-huitième sont vraiment très très belles. À l'intérieur, on trouve beaucoup de meubles anglais et de la porcelaine anglaise.
Mais la plus belle chose à Danzig c'est le tableau de Memling, "Le jugement dernier" que les Allemands d'ailleurs ont refusé à l'exposition à Bruges (par peur peut-être d'une guerre et qu'ils ne le reverraient plus). Ce tableau m'a beaucoup frappée. Surtout parce que c'est tellement inattendu. Il est placé dans une petite pièce dans la Marienkirche, une énorme église gothique et très laide. On est frappé surtout par la richesse des couleurs et l'invention du dessin. Comme – il me semble – la plupart des villes allemandes, Danzig n'a pas beaucoup de couleurs. Même les maisons, et les sculptures (les vierges) sont peintes (les dernières ne me plaisaient pas beaucoup).
J'ai acheté un petit livre sur Memling et j'ai découvert qu'il est en réalité Allemand. Il est né dans la province de Hesse.
Ce qui m'a beaucoup impressionnée en traversant l'Allemagne (parmi d'autres choses) c'était les autobahns. Ça vaut la peine de les voir et les traverser. On ne peut que penser aux routes romaines. Comme elles sont placées dans le paysage, comme elles sont merveilleusement faites et dessinées, je trouvais admirable.
À Berlin je suis passée très vite au Musée Égyptien. Malheureusement je ne savais pas que le musée fermait à trois heures et je n'avais que deux heures, et en plus avant d'y aller j'ai bu beaucoup de vin (excellent vin du Rhin) en conséquence j'ai très peu vu.

Mais c'est une très belle collection. Je me rappelle de très belles choses du dix-huitième (parmi celles-ci la fameuse tête de Néfertiti qui est très remarquable mais pas du tout une des plus belles). Il y en a d'elle et d'Akhenaton vraiment magnifiques.

De Danzig nous sommes descendus directement ici à travers un paysage plat. Aussi plat que la Hollande (seulement le ciel parait plus haut et il y avait plus du sentiment de l'espace) et très cultivé. Tout le long de la route des petits villages pleins de chevaux. Chevaux et chariots. Mais pleins. La plus grande partie de la Pologne que nous avons vue jusqu'à maintenant était jadis sous la domination allemande. Alors pour avoir une idée plus juste sur l'ensemble il faut attendre que nous allions vers la Roumanie (si ce sera possible).

Une fois ici nous avons commencé [à] goûter la vodka, et nous continuons encore. C'est extrêmement bon.

Ce soir je suis seule ici, Tom étant parti pour Danzig faire un article, je ne sais pas sur quoi exactement. Je l'attends pour demain matin.

Si — ce qui est tout à fait possible — il doit rester encore longtemps ici je crois que j'irai en France. Mais ce n'est pas possible à dire maintenant. J'ai profité de l'occasion pour faire l'enquête sur le nom Klossowska de Rola. Klossowska, on m'a dit, est un nom assez commun en Pologne. Klossowska de Rola veut dire que l'ancêtre de notre ami mutuel était probablement au dix-huitième siècle un fermier à qui appartenaient de la terre et des moutons et qui avait le droit de voter pour le roi, ce qui était le droit de quelques centaines de familles à cette époque. Voilà tout est connu. Tous ces fermiers avaient bien entendu leurs propres armes. Et j'ai remarqué ici qu'on les porte sur les bagues.

Le premier soldat que nous avons vu en franchissant la frontière polonaise ressemblait énormément au frère de Balthus.

Bientôt je vais prendre une vodka. Il en existe, on m'a dit, 250 variétés. Il est 9.30 pm, alors c'est presque l'heure du dîner.

J'envoie cette lettre en Suisse. Sûrement vous êtes déjà arrivé là-bas et vous vous reposez sur l'herbe et vous regardez les montagnes, et vous n'entendez pas les dernières nouvelles guerrières. En ce moment la Grèce me semble très très loin et je doute qu'on va y arriver. Le seul livre que j'ai apporté ici est une histoire de l'art grec qui est d'un ennui sans borne. Il y a trop peu d'histoire et trop de l'opinion de l'auteur qui ne vaut pas beaucoup.

Je ne crois pas que ça vaut la peine d'écrire ici parce que c'est très possible que nous serons partis (toujours en faisant croire que vous allez répondre du tout.)

I. A. D.

Alberto Giacometti à Isabel
Lettre manuscrite à l'encre noire sur papier à lettres beige.
Deux feuillets recto, 27 x 21 cm
Tate Gallery, inv. 9612.1.2.7

[août 1939]

Maloja, mardi

Je me demande si vous êtes encore à Varsovie et j'hésite à [vous] écrire, peut-être vous approchez-vous un peu de la Grèce ou même êtes-vous déjà à Paris. Merci pour tout ce que vous me racontez, du voyage, des villes et du bon vin ! Je voyais très bien les villages pleins de chevaux dans la plaine. Même si vous n'arrivez pas en Grèce le voyage valait sûrement la peine et puis maintenant nous connaissons aussi les très nobles origines de notre ami. Je suis passé à Genève, mais tellement pressé d'arriver ici que je n'étais pas en Savoie. Vu le Prado[6] mais à travers une telle foule que ça n'était pas facile. Vous savez ce qu'était un des tableaux qui m'ont le plus frappé et que j'ai regardé le plus longtemps ? Un Memling aussi comme à Danzig, merveilleux. Mais toute l'exposition très belle et une journée c'est peu pour voir un Van der Weyden, un Dick Bout et un... Raphaël aussi et Titien, enfin tout ça m'a touché plus que la peinture espagnole mais assez surpris par le Greco beaucoup plus beau que je ne pensais et très byzantin. Personne ne pense à quel point Greco est resté byzantin et pas espagnol. Arrivé ici et bien décidé de ne pas regarder ni une peinture ni une sculpture pendant un mois, je partais deux jours après pour l'Italie en voiture avec mon frère et mon beau-frère. Milan, Mantova (où il vous faut absolument aller une fois) Padova (vous devez revoir les Giotto, c'est malgré tout ce que nous avons vu de plus beau en peinture pendant le voyage) deux jours à Venise (surtout devant les cafés P[lace] S[an] Marco, très agréable à la Scuola San Rocco, j'ai marché dans toutes les ruelles pendant que les autres se sont baignés au Lido) puis à Vicenza, Verona, et Bergamo une ville très inattendue, haut sur une colline, toute la plaine lombarde aux pieds et avec des très belles sculptures dans une belle église très ancienne. Tout ce pays m'a beaucoup plu et émerveillé, il faut y retourner. Mais vu trop de choses en 5 jours ! Dormi ici toute une semaine après et maintenant je commence à me réveiller un peu et nous jouons tout le temps aux échecs. Idée de travailler un peu aussi, je

6. *Les chefs-d'œuvre du musée du Prado, Exposition*, Musée d'art et d'histoire, Genève, juin-août 1939.

verrai. Il fait plutôt froid et pas beau, ça m'est assez égal. Très peu de journaux mais assez inquiet ces derniers jours. En arrivant ici j'étais très fatigué, trop de choses depuis l'automne passé, maintenant ça va de nouveau. Comme je ne sais pas du tout si vous recevrez cette lettre je m'arrête ici et je l'envoie tout de suite. Vous m'écrirez où vous serez ? Et maintenant il me semble [qu'il y a] très peu de temps que nous avons dîné à la Régence. (Un livre ennuyeux sur l'Art grec ça doit être plus ennuyeux que tout ! Jetez le !) Alberto.

Alberto Giacometti à Isabel
Lettre manuscrite à l'encre noire sur papier quadrillé.
Un feuillet recto verso, 20 x 26,7 cm
Tate Gallery, inv. 9612.1.2.1

Coire, 2 septembre 1939

Chère Isabel, dans une brasserie, dans une petite ville, j'attends de passer devant la commission sanitaire militaire. Je ne sais pas encore si demain je pourrai rentrer chez moi à Maloja ou si je serai en service civil, en tout cas je serai ou à Maloja ou dans les environs. Depuis ce matin 6 heures je suis en route, la tête fatiguée et comme insensible. J'ai répondu à votre lettre mais je pense que vous ne l'avez pas reçue, je vous parlais du voyage que j'ai fait il y a 15 jours à Venise, Mantova, Vérone etc. en voiture, de Giotto, de Tintoretto, d'architecture, de paysages – et maintenant je pense à notre voyage – quoi vous dire Isabel ? Encore il me semble impossible de ne pas être dans un mois dans mon atelier.
Il faisait si beau ces derniers soirs – clair et plus précis que le jour – et encore ce matin sur ce voyage interminable et même maintenant sous les arbres sur la place devant la brasserie. J'espère tant, Isabel, que vous recevrez cette lettre, et vous savez comme je voudrais avoir de vos nouvelles. Je suis incapable d'écrire Isabel il y a trop de choses.
Il me faut remonter dans ce couloir voir s'il y a moins de soldats qui attendent devant la porte qu'il y a un moment. Je pense rencontrer ce soir mon frère, il est soldat, heureusement, si l'on peut dire, il sera avec des chevaux et il va pouvoir les étudier et dessiner (les chevaux de San Marco, on les regardait il n'y a pas longtemps et on en discutait, sont-ils très beaux ?)
En tout cas si je rentre tout à fait chez moi je vais commencer à travailler, des têtes, une fois de plus.
(Très déçu de l'exposition Leonardo de Vinci à Milan mais vous aimeriez Mantova, entourée de lacs dans la plaine. Je dois partir, je vous écrirai.
Alberto.
[P.S.] Pardonnez cette lettre assez faible. C'est la fatigue, ou le sommeil, ce n'était pas nécessaire de le dire.

Isabel à Alberto Giacometti
Carte postale manuscrite à l'encre noire non signée.
FAAG inv. 2003-1881

Au verso, portant le cachet de la poste de New Milton
[14 SEP 39]
Au recto, adressée à : *M. Alberto Giacometti / Maloja /*
Engadine / Switzerland.
Réadressée à : *M. Gubler / Unterengstringens /*
917167 / Schlieren.

J'ai reçu vos deux lettres. Je vous envoie ceci en espérant qu'une
carte postale arrivera plus vite qu'une lettre.
Actuellement je me trouve dans la campagne chez ma mère.
Les derniers jours étaient très beaux. Je nageais, je me prome-
nais en bicyclette, et je me trouve déjà beaucoup mieux.
Je suis arrivée en Angleterre le jour avant la déclaration de la
guerre, dans un état de nerfs et d'esprit assez lamentable. C'est
pour ça que je suis venue ici.
Dans quelques jours je vais retourner à Londres chercher
quelque chose à faire. J'ai toujours l'idée de rentrer à Paris où je
peux aussi travailler. Bientôt j'écrirai une lettre très détaillée.
[Isabel]

Isabel à Alberto Giacometti
Lettre manuscrite à l'encre bleue, sur papier bleu à en-tête imprimé, non signée.
Deux feuillets recto verso, 20,1 x 15,1 cm
FAAG, inv. 2003-1882

[automne 1939]

Je suis malade. J'ai une espèce de grippe. Mes yeux sont gonflés et pénibles.

9, Stone Buildings
Lincoln's Inn WC2
Holborn 8552

Ça veut dire le bâtiment en pierre. Mais en réalité cet immeuble que nous habitons est en brique. – C'est tout sur ce sujet. C'est un sujet qui m'ennuie, qui me désole et sur lequel tout m'est égal.
Je trouve que déjà j'ai oublié beaucoup de français, que j'ai tout oublié de la più bella lingua del mondo, (même si j'ai découvert un livre sur la grammaire de cette langue dorée et melliflue)..
Enfin, me voici, assise sur l'île tellement suspecte, la peau assouplie par les brouillards, les yeux moitié fermés, et le cerveau bouché. Tiens. Je vais mettre un disque que je viens d'acheter de Vivaldi (les Italiens poke their noses in everywhere[7]). C'est un concerto à quatre. Ça ne fait rien. Ça commence comme ça
[*dessin d'une partition*]
etc.
Aujourd'hui Tom est parti pour la Tchécoslovaquie ou plutôt la Tchéco tout court et moi, j'ai l'intention de rentrer à Paris lundi prochain. Tom peut rester seulement longtemps ou quelques jours mais en tout cas je vais essayer de rentrer lundi. Ah vous ne savez pas toutes les complications qui m'entourent. Je vois que cette lettre est illisible.
ET LES 3 [*dessin représentant trois petites sculptures*] ?
J'ai oublié aussi ce que j'ai dessiné vaguement ici [*dessin*] c'est dommage, tout est dommage. Les dessins les natures mortes les pommes de terre. J'ai trouvé des anciennes choses
MAUVAIS !!

---

7. Les Italiens pointent leur nez partout.

67

9, STONE BUILDINGS,
LINCOLN'S INN. W.C.2.
HOLBORN 8552.

(Les Italiens poke their noses
in everywhere). C'est un
concerto à Quatre — ça ne fait
rien. Ça commence
comme ça

$\frac{2}{3}$ 𝄞 ‖" ‖ " |‖‖| ' '‖ ‗
' ' ' ‖ ‖ mmmm
mmmm   mmm   mmm
var | | ' ‖ ‖ '

etc.

Aujourd'hui Toma est
parti pour la Tchequoslovakie
ni plutôt la Tchequo- tout
courte

et moi, j'ai l'intention
de rentrer à Paris Lundi
prochain. Tom peut rester
seulement
longtemps   ou quelque jours
mais en tout cas je vais
essayer de rentrer lundi.

Ah vous ne savez pas tournant
tous les complications qui m'
Je vois que cette lettre est
illisible. ET LES 3 ☖☖☖ ?

J'ai oublié aussi ce que j'ai
dessiné vraiment ici
C'est dommage je tu c'est dommage
les dessins
J'ai trouvé des ◉ les nature
anciennes chez notre le
MAUVAIS!! pommes de terres

Alberto Giacometti à Isabel
Lettre manuscrite à l'encre noire sur papier à lettres beige.
Un feuillet recto verso, 26,7 x 21 cm
Tate Gallery, inv. 9612.1.2.2

Maloja, 19 octobre 1939

Merci Isabel, pour votre lettre que j'ai reçue hier soir, elle m'a fait un très grand plaisir, plus que je ne sais dire, par tout ce que vous écrivez. Vous voyez il faut 7 à 8 jours pour recevoir une lettre, je pense que vous avez reçu ma dernière lettre aussi, écrite il me semble le 10 octobre. Vous travaillez déjà ? au portrait de Louise ? j'étais sûr avant déjà que vous alliez recommencer à travailler. Je vous avais écrit hier soir mais illisible, ah j'aimais beaucoup aussi votre écriture, là elle vous ressemble un peu à certain moment, ou plutôt les mouvements que vous faites. Hier soir Antoinette[8] m'a téléphoné, qu'elle est contente, très bien et puis (je ne comprenais pas bien qu'elle ne me disait rien de Balthus) voilà Balthus lui-même qui continue la conversation. Il venait d'arriver à Berne (du front) et il pense y rester pour le moment. Je vais les voir en novembre comme je pense toujours rentrer à Paris (nous n'avons pas parlé longtemps et il va m'écrire). J'espère avoir pareillement le visa, mais peut-être, je ne sais pas, seulement pour un temps limité ; j'espère que non. Quand serez-vous à Paris ? J'ai hâte d'envoyer cette lettre pour le savoir, je ne veux pas aller à Paris et ne pas vous rencontrer. Je pense y pouvoir être vers le 15-20 novembre à peu près, je vais m'arrêter à Berne et à Genève (cette phrase devrait être avant l'autre). Je me répète, j'écris d'une manière impossible et je suis mécontent, ça m'exaspère. Mais je vais laisser toutes mes choses à Paris, encore il me semble qu'on doit pouvoir y travailler qui sait ? J'avance un peu avec mes têtes, trop peu, les derniers jours je lis beaucoup et 1 jour sur 3 je ne vais pas très bien, je fais un peu de régime et je fume moins pour sortir de cet état assez lamentable. J'ai lu Shakespeare, des comédies, Racine et Sophocle ces derniers jours. Vous devez absolument lire les tragédies de S[ophocle] [elles] sont merveilleuses et drôles en même temps. Lu *Les Trachiniennes* on aurait envie de les raconter tout de suite, ça vous plairait sûrement et il me semble vous entendre rire à certains passages. Mais aujourd'hui je vais recommencer à

---

8. Antoinette de Watteville, épouse de Balthus.

travailler un peu plus. Sophocle est ce que je préfère de tout ce que j'ai lu depuis les vacances. Toujours du brouillard et pluie, des vrais lacs tout autour, l'autre jour un cheval blanc qui trottait et sautait tout seul, la tête haute et très fine, dans un pré, c'est à peu près tout ce que j'ai vu depuis 8 jours. Mais je dois aller tout de suite à la poste, je voudrais que vous receviez cette lettre à Londres. Balthus et Antoinette disent que Paris est merveilleux, je suis impatient d'y être. Mais je dois partir tout de suite, j'ai encore 10 minutes.

Votre Alberto.

[P.S.] Pardonnez la lettre et sa confusion.

Isabel à Alberto Giacometti
Lettre manuscrite à l'encre noire sur papier blanc
à en-tête imprimé.
Un feuillet recto verso, 17,8 x 27,1 cm
FAAG, inv. 2003-1883

Enveloppe adressée à : *M. Alberto Giacometti /
Hotel Primavera / Rue d'Alésia / Paris.*

[cachet de la poste de Paris, 23 décembre 1939]

Hôtel St-Romain
(Tuileries)
5 et 7 rue Saint-Roch
Paris-1er

Je dois partir ce soir parce que j'ai reçu un télégramme de Tom
me disant qu'il est malade, qu'il faut que je rentre tout de suite.
Il est seul, il n'y a [personne] pour le soigner.
Je regrette que je ne vous aie pas vu mais cet après-midi il fallait
que je me rende chez les militaires pour un visa de rentrée.
J'ai obtenu une lettre d'eux qui je crois m'assurera la possibilité de rentrer en France sans faute, alors à bientôt et ne faites
pas trop attention à ce que je dis parce que je ne m'explique
pas très bien et la plupart des choses importantes ne sont pas
dites. Continuez les têtes.
Isabel

Isabel à Alberto Giacometti
Lettre manuscrite à l'encre noire, sur papier blanc
à en-tête imprimé.
Trois feuillets recto verso, 25,9 x 20,3 cm
FAAG, inv. 2003-1884

Enveloppe (cachet de la poste de Londres du 10 janvier 1940)
adressée à : *M. Alberto Giacometti / Hotel Primavera / Rue
d'Alésia / Paris / France.*

[8 janvier 1940]

9, Stone Buildings
Lincoln's Inn W.C.2

Janvier 8 40

C'était très joli la lettre que vous m'avez écrite. Une des plus
jolies que j'ai jamais reçue. J'avais beaucoup de peine en la
lisant, surtout quand j'ai lu tout ce que vous avez dit sur le
tableau. Tout que vous avez dit sur le paysage, sur Paris, sur
notre promenade m'a beaucoup touchée. Je pense beaucoup
à tout ça. Ici je passe mon temps de la façon la plus idiote
qu'on puisse imaginer. Aujourd'hui – maintenant – je me sens
tellement curieuse. Je ne sais pas ce qu'il y a avec moi. Il me
semble que c'est déjà le printemps, je ne sais pas pourquoi.
Je sens exactement comme je m'imagine que sentent les gens
avant qu'ils meurent.
Ah est-ce que je reviendrai bientôt ? Je pense que oui. Ça
veut dire au commencement du printemps peut-être. Moi je
voudrais bien raconter les petites histoires. Mais je n'en ai pas.
J'ai dîné avec Joan hier soir – nous avons tous deux beaucoup
bu, beaucoup parlé : je me rappelle de rien ce matin. Je me suis
réveillée avec un dégoût profond de tous les gens que je voyais
ces derniers jours. Je ne veux plus les voir, plus plus –––.
Moi je deviendrai aussi idiote qu'eux. Ce sera terrible.
Je pense beaucoup comme c'était beau à Paris. Spécialement
beau sur le pont. J'ai une très grande envie de voir le paysage
dont vous avez parlé. Est-ce que c'est possible ? Est-ce que vous
avez vu le tableau même ? Voilà ce qui m'intéresse – et le reste
est une perte terrible de temps. J'aurai cinquante ans avant que
je réussisse à comprendre comment moi je dois vivre.
Parce que comme vous savez bien je suis en vérité absolument
enfantine.

Bientôt je vais partir quelques jours à la campagne chez ma mère. J'ai grande envie de voir la petite forêt et cueillir les bûshons [sic] là-dedans et voir aussi la mer.

J'ai peur que cette lettre soit ennuyeuse. Et comme vous savez bien aussi j'ai toujours l'envie de paraître très intelligente.

Depuis mon retour je n'ai rien vu rien entendu, (oui j'ai un peu joué Vivaldi toujours très beau pour moi) rien lu. Même pas de l'histoire. Mais je vais faire un régime encore une fois dès lundi prochain. Je vais commencer à m'instruire un peu. Pédante. Ce n'est pas très joli mais qu'est-ce que vous voulez ?

Faute de mieux. Enfin j'ai trouvé mes limites. Je suis modeste, je sais ce qui me convient. Ah j'ai oublié de vous dire que le voyage à Paris en vérité n'était pas du tout raté comme je pensais un moment. Et que j'ai fait une chose qui me plaît beaucoup une chose vraiment bien.

Je vais vous dire la prochaine fois que je vous vois. Je ne sais pas si vous le trouverez bien, je pense que oui. Si vous êtes vraiment très très aigu vous le devinerez peut-être.

Tom est en voyage mais pas pour longtemps. Il va revenir dans deux semaines peut-être.

Vous voyez le mot peut-être règne toujours. Écrivez-moi.

Isabel

Alberto Giacometti à Isabel
Lettre manuscrite à l'encre noire sur papier à lettres beige.
Deux feuillets recto verso, 17 x 26,3 cm
Tate Gallery, inv. 9612.1.2.3

[18 janvier 1940]

Paris, le 18 janvier 1940

[*partie manquante*] 20 au Select presque [*partie manquante*] ai reçu votre lettre du [*partie manquante*] d'aller au Palais de [Justice], j'ai commencé à lire [dans] le taxi et puis dans un petit café en face du Palais j'étais triste – et je le suis encore pour certaines choses que vous dites, heureusement vous ne les pensez pas toutes ou au moins pas toujours, et puis déprimé et comme perdu en lisant que vous viendrez peut-être au printemps, c'est si loin et si peu situé, une espèce de vide qui échappe complètement, alors je pense vous êtes partie trop vite comme échappée. Pour moi Isabel votre séjour n'était pas raté, sinon je n'aurais pas eu tant de peine quand vous êtes partie, j'avais la gorge serrée de sanglots, et comme déchiré est-ce que c'est très mal, Isabel, de le dire ? Mais je ne suis pas [*partie manquante*]igu et je ne sais pas deviner [*partie manquante*] vous dites (de la chose bien que vous avez) ou plutôt [*partie manquante*]é moi je n'essaye pas [*partie manquante*]viner, je pense trop par rapp[*partie manquante*] moi aussi alors le fil est peut-être faux dès le commencement, vous dites une chose très mal, que vous avez peur que votre lettre soit ennuyeuse, ah ! ça je sais que vous voulez paraître toujours très intelligente, malheureusement (ce n'est pas ce que je pense) vous l'êtes ! Pédante, pas du tout ! même si vous avez envie de vous instruire, vous avez recommencé ? (ça va mieux depuis que je vous écris, et puis vous savez toujours tout – ou presque ! oui, et vous ne deviendrez pas idiote comme les personnes que vous avez vues et que vous voyez peut-être encore malgré le "plus plus" ! Et le "faute de mieux" n'est pas bien, et vous n'avez pas trouvé vos limites et vous n'êtes pas modeste et moi je suis pédant (moi oui), qui commence à reprendre chaque mot de votre lettre et vous ne savez peut-être pas ce qui vous convient.
Et en vérité vous n'êtes pas absolument enfantine, vous ? Par rapport à vous je me sens toujours d'une simplicité et d'une

candeur sans borne, et maintenant parce que je suis dans ce café et que je voudrais tant que vous soyez là, et pendant un moment peut-être on se disputerait et je vous sens comme assise à côté et je vois votre visage comme une nuit, au commencement de l'été, c'était plutôt le matin, à la table, un peu plus loin, près de la fenêtre il faisait froid, et nous avons failli aller chez moi pour travailler, vous vous rappelez ? alors (au commencement de la phrase) je commande une fine à l'eau. Pourquoi n'êtes-vous pas ici, à travailler dans votre atelier, dimanche passé vous seriez venue avec nous au concert Colonne entendre Beethoven et peut-être même au palais de Justice, ça valait la peine, je suis resté pendant trois heures, c'est comme tout un monde en soi, inconnu (la dame n'était naturellement pas là et tout est renvoyé pour 6 semaines au moins). Il me semble d'une manière effrayante vous sentir ici comme si mon bras droit sentait lui-même votre présence à quelques centimètres et je tourne la tête. C'est tout ce que je sens en vous écrivant et je ne suis plus dans l'état d'esprit où j'étais en commençant cette lettre, je fais attention à côté de moi et quand je regarde vers la fenêtre je vois votre profil et chaque couleur et chaque geste et tant de choses qui viennent en masse au même moment. Mais vous travaillez Isabel ? J'espère que oui, mais pourquoi voulez-vous comprendre comment vous devez vivre ? Ça tourne en rond et il n'y a de compréhension possible qu'en vivant (si on pouvait suivre son instinct comme un animal et puis on le peut (je regrette déjà d'avoir dit ça, pas parce que je pense que ça soit très faux, mais de le dire).

Et je tends le bras vers la place où vous n'êtes pas, et aujourd'hui je ne sais pas raconter des petites histoires, je ne sais rien dire de ce qui se passe, et que je travaille très péniblement et que je ne sais pas où je prends le courage pour continuer et pour avoir encore de l'espoir de m'en sortir, mais même si c'est sans issue, ce n'est pas un motif de s'arrêter, au contraire ça donne même un certain sentiment de liberté et d'irresponsabilité totale envers tout, et puis réussir ou pas ça ne me semble plus tellement important, je ne sens ça que depuis très peu de temps, ça doit vous sembler, Isabel, très douteux ! Aujourd'hui j'ai une tête (en terre !) en assez bon état, pourvu qu'elle tienne dans les prochains jours et je la ferai mouler. Mais ce que je veux dire le plus, Isabel, c'est que vous me manquez, que c'est comme un vide et provisoire, que j'ai comme des regrets et je n'ose pas continuer, Isabel. J'attendais chaque jour votre lettre et je voudrais que vous soyez contente et que vous fassiez beaucoup de choses qui vous plaisent et que vous m'écriviez bientôt.

(Il y a un long temps d'arrêt)

On ferme, je vous envoie tout de suite cette lettre, Isabel, pardonnez cette lettre, je n'ai pas le courage de vous dire revenez bientôt, mais c'est tout ce que je voudrais. Vous trouverez cette lettre beaucoup moins bien que l'autre et confuse, mais comment faire ? Il faut partir.

Votre Alberto

[P.S.] Je n'ai plus trouvé de timbres hier soir, je suis rentré et j'ai travaillé jusqu'à 3 h 1/2 je pensais au voyage en Italie que nous n'avons pas fait, comme tout serait mieux peut-être, le plus joli voyage que personne n'ait jamais fait.

Je vais reprendre votre buste et bientôt aussi le modèle de nouveau mais quand je ne travaille pas je vis d'une manière très éparpillée, au hasard, comme les choses se trouvent malgré moi ou comme je les rencontre. Ne lisez pas toute cette lettre si elle est ennuyeuse et confuse et ne soyez pas fâchée. Et puis je ne dis pas ce que je voudrais, ce n'est jamais juste, mais surtout Isabel ne soyez pas dégoûtée (pas le mot) ou déprimée et mécontente de vous-même, ni modeste, ni rien de tout ça, très orgueilleuse plutôt, et faites beaucoup de choses, mais je ne sais pas. Je suis très très content que vous m'ayez écrit, faites-le encore Isabel.

Je ne sais écrire tout ce que je sens et je vous dis en ce moment

Alberto

Alberto Giacometti à Isabel
Lettre manuscrite au crayon.
Un feuillet recto verso, 18,1 x 25 cm
FAAG, inv. 2003-1885

Enveloppe sans timbre, adressée à : *Madame Isabel Delmer.*

[décembre 1939 ? juin 1940 ?]

Isabel, si [c'est] seulement possible passez encore me voir faites-le !, à Flore jusqu'à 10h1/2 après chez moi aussi demain matin. Pour moi impossible de quitter Paris. Il faut le visa, 15 jours au moins ! Rien à faire alors et un "laisser-passer" pour la France très difficile pour nous, sinon impossible, et aussi 8 jours ou plus. Donc il ne reste qu'à attendre. Partir seulement en cas d'évacuation forcée je me demande comment ! et je n'y pense pas pour le moment. Tout l'après midi fait les moulages des têtes, les 2. finirai demain. et vous attendre.
J'attends 7 heures pour passer chez vous. J'espère tant que vous soyez encore là. Je ne pense qu'à vous revoir. Si vous partez sans que je vous voie, ce que je ne peux pas penser, laissez à votre hôtel un mot pour moi, pour me dire où vous allez ; écrivez-moi ici, j'ai l'impression que je ne partirai pas si vite. Nous étions contents ce matin. Comment ? Si nous avions raison ?
Alberto
[P.S.] Vous connaissez le papier ?

Isabel Alberto Giacometti
Lettre manuscrite à l'encre noire sur papier bleu gris
à en-tête imprimé.
Deux feuillets recto verso, 18,1 x 26,7 cm
FAAG, inv. 2003-1886

[début juin 1940]

Hôtel St-Romain
(Tuileries)
5 et 7 rue Saint-Roch
Paris-1er

3 : 30 p[m]

Voilà le pire arrive. Je pars dans une demi-heure pour Tours.
Je ne resterai là que très peu de temps parce qu'il faut que je
fasse le chemin vers un port (peut-être Bordeaux) pour prendre
le bateau. Qui sait dans quelques jours où je me trouverai —
mais en tout cas écrivez-moi chez ma mère 4 Hilton Road New
Milton Hampshire pendant que vous pouvez encore envoyer
les lettres.
On m'a dit que la poste aérienne existe toujours. J'en doute.
Maintenant je regrette un peu ma gaieté idiote de ce matin.
Vous allez penser peut-être que je ne prends pas au sérieux les
choses qui sont très sérieuses. Ce n'est pas vrai. N'oubliez pas
que c'est décidé même s'il y a un délai de plusieurs années (je
ne crois pas [qu']il y aura) que je viens vivre avec vous (pour
faire mon nouveau métier ?). C'est extraordinaire que même à
ce moment je ne me rends pas du tout compte de l'ensemble.
Attention aux têtes ! Et il me semble que vous devez tout de
même rentrer en Suisse —
 Sauvez votre vie si vous pouvez.
C'était joli ce matin je suis très contente que c'était aussi bien.
Je crois que si vous n'avez pas encore décidé de partir, vous
devez vous dépêcher. Je ne sais pas encore si Tom va rester ici
ou pas. Il est en train de se renseigner sur les possibilités de
travailler ici même si la censure etc. s'est déjà installée à Tours.
Je me rappelle que vous avez l'appareil photographique. Il vaut
mieux le laisser quand vous partez parce que comme étranger
vous risquez d'avoir des ennuis si on vous trouve avec une
caméra.

Ce qui est terrible dans cette histoire c'est que nous allons nous rendre compte de l'énormité des choses quand nous serons loin l'un de l'autre sans possibilité de communiquer. Je dois répéter encore que vous devez avoir une confiance absolue en moi.

Évidemment les événements extérieurs peuvent tourner en extrême mal mais pourvu qu'au moins nous puissions nous fier à nous.

Je dois finir maintenant. Je dois achever l'emballage des choses. (Je prends le minimum avec moi tant pis pour le reste – mais dans le minimum il y a les deux dessins que vous m'avez donnés). Je ne sais pas terminer cette lettre. Écrivez-moi. Écrivez. Je peux vraiment dire maintenant que je suis à vous et que je vous aime beaucoup.

I. A. D.

Isabel à Alberto Giacometti
Carte postale manuscrite à l'encre noire.
FAAG, inv. 2003-1888

Adressée à : *M.Alberto Giacometti / Hotel Primavera /
Rue d'Alesia.*
Réadressée : *5 rue Charolais.*
Au verso, le château de Luynes portant la légende :
6. Luynes (I.-et-L.)- Le Château (XVe siècle) – Façade Ouest.

[cachet de la poste de Tours, juin 1940]

Je pense que peut-être vous êtes encore là. J'écris une carte
d'ici. J'y suis arrivée ce soir après un voyage de deux jours
– assez agréable. J'ai dormi dans un champ et je me sens tout
à fait bien. Tom est toujours à Paris.
I. A. D.

Isabel à Alberto Giacometti
Carte postale manuscrite à l'encre bleue.
FAAG, inv. 2003-1887

Adressée à : *M. Alberto Giacometti / Hotel Primavera /
Rue d'Alesia / Paris.*
Au verso, une salle de restaurant, portant la légende :
Bordeaux - Restaurant du Chapon-Fin.

[cachet de la poste de Bordeaux du 13 juin 1940]

13 Juin
Je me trouve à Bordeaux en attendant le bateau. Jusqu'à maintenant il n'y en a pas mais aussitôt que plus d'Anglais arrivent
ici on va arranger un transport. J'ai fait un voyage de 19 heures
dans le train mais j'ai très bien mangé ici. Je ne crois pas que
vous allez recevoir cette carte parce que vous êtes sûrement
parti. Je pense à vous.
I. A. D.

Isabel à Alberto Giacometti
Lettre manuscrite à l'encre noire sur papier blanc à en-tête
manuscrit.
Un feuillet recto, 29,4 x 23 cm
FAAG, inv. 2003-1889

[25 juin 1940]

9 Stone Buildings
Lincoln's Inn. W.C.2

June 25th, 1940
Je tente [par] tous les moyens de vous envoyer une lettre. J'ai
même écrit à votre mère, mais je n'ai pas beaucoup d'espoir
que vous allez rien recevoir. Je pense que vous devez vous
trouver toujours à Paris. Je me demande qu'est-ce que vous
faites, si vous êtes toujours à la même adresse, qu'est-ce que
vous avez fait avec les sculptures. Est ce que c'est possible de
travailler ? Je n'ai point perdu ma confiance dans notre avenir,
même qu'il me faut assez de courage quelquefois [pour] ne
pas le faire. Je me sens très isolée. Vous savez très bien que ce
qui pourrait me donner le plus de plaisir serait de recevoir de
vos nouvelles, de savoir au moins où vous vous trouvez, et que
vous n'êtes pas trop découragé. Je vous prie, ne soyez pas trop
déprimé. Je dois vous dire encore une fois que rien ne peut
me faire changer la décision que j'ai prise. Rien. J'espère que
vous avez trouvé la lettre que je vous ai laissée à l'hôtel. Il faut
attendre avec autant de courage que possible.
Isabel

Alberto Giacometti à Isabel
Lettre manuscrite à l'encre noire sur papier ligné.
Deux feuillets recto verso, 21,5 x 21 cm
Tate Gallery, inv. 9612.1.2.4

Adressée à : *Madame Isabel Delmer 43 Grosvenor St .Londres W1
Angleterre* et réadressée *Flat no 9/10 Palace Gate / London W8.*

[14 mai 1945]

Genève le 14 mai 1945

Depuis des mois et des mois, j'attends le moment de pouvoir
vous écrire mais ce jour n'est pas encore là, pourtant malgré
moi presque, je ne peux pas attendre plus longtemps sans vous
dire au moins comme je suis impatient de pouvoir enfin vous
envoyer une lettre si jamais j'arrive au point de pouvoir le faire.
Comme j'étais impatient de finir mon travail, au moins dans
un certain état et pouvoir vous le dire, j'ai vécu de huit jours en
8 jours comme il y a quelques années dans cette idée et en ce
moment je pense la même chose, persuadé même malgré tout
que j'y arriverai.
Il m'est très difficile de savoir ce que vous faites, comment vous
allez, persuadé que vous allez bien et comme si rien n'avait
bougé. Je sais que mademoiselle Tcherbatow[9] a été voir mon
frère, donner de vos nouvelles pour moi, que vous pouvez aller
à Paris quand vous voulez, peut-être y avez-vous déjà été, moi
je suis paralysé ici depuis 1942, venu (en regrettant infiniment
de quitter Paris même pour peu de temps) décidé à rentrer au
plus tard 5 mois après mais avec une sculpture telle que je la
voulais ; je me suis trouvé après ce temps avec une sculpture
qui n'allait pas du tout alors incapable de bouger j'ai renvoyé
mon départ de jour en jour jusqu'à maintenant, travaillant
autant que je pouvais. J'ai recommencé des nombreuses fois
la même chose, passant à côté chaque fois. Ma figure finissait
par devenir tellement minuscule chaque fois que le travail devenait impondérable et pourtant c'était presque ça que je voulais,
seulement j'avais une certaine taille dans la tête à laquelle il
fallait arriver et seulement depuis une année j'y suis mais pas
au point que je veux (la taille oui). Je sais pourtant que je ne
lâcherai plus celle à laquelle je travaille depuis septembre et
que j'arriverai malgré tout au bout, à moins que je ne vive dans
l'illusion la plus totale, ce que j'ai de la peine à croire puis-

9. La princesse russe Mara Scherbatoff, ancienne secrétaire de Tom Delmer à Paris.

qu'il y a tous les jours un peu de progrès (vu cet après-midi un *Cahiers d'Art* avec la production de l'époque de la guerre à Paris en peinture et ça n'a fait que me pousser à m'accrocher plus encore si c'était possible à ce que je fais. En partie à Maloja, en grande partie ici dans une chambre d'hôtel qui pourrait être rue d'Alesia j'ai travaillé toutes les nuits, en ce moment surtout et tous les après-midi et le temps est passé terriblement vite. Je n'ai rien fait d'autre, ni exposé ni vendu, [rien exposé] sauf un tableau portrait commencé il y a une année ou plus, et deux articles dans un journal-revue. Je ne vous donne pas plus de détails (et puis ça deviendrait vite trop compliqué) dans cette lettre parce que je pense être très bientôt à Paris malgré tout et vous voir et vous parler. Mais il faut d'abord en finir ici, avoir un moulage, je ne peux rien faire avant ça et je tâche d'y arriver le plus vite possible, je n'ai rien d'autre dans la tête pour le moment mais bientôt je pense que je pourrai vous écrire de nouveau.

Votre Alberto

57 route de Chêne, Genève

[P.S.] Je regrette ce papier tout plié mais je suis pressé de vous écrire et je n'en ai pas d'autre sous la main.

Alberto Giacometti à Isabel
Lettre manuscrite à l'encre noire sur papier à en-tête imprimé.
Deux feuillets recto verso, 26,7 x 21 cm
Tate Gallery, inv. 9612.1.2.5

[30 juillet 1945]

Grand café du commerce et du Molard
7 place du Molard
Genève

Genève, le 30 juillet 1945
C'est dimanche après-midi, impossible d'acheter du papier, tout est fermé, mais je suis impatient de vous écrire cette lettre que depuis 4 jours, depuis que j'ai eu la joie de trouver la vôtre en descendant à midi de ma chambre, je vous écris mentalement. Mais par où commencer Isabel ? Il y a tant de choses que je voudrais dire en même temps, au même moment – votre lettre, votre écriture un peu changée (mais c'est peut-être un hasard seulement du papier, de la plume à ce moment-là) – tout ce que vous me dites, vous à Paris, mes lettres des années passées que vous n'avez pas reçues de ce que me dit Connolly[10], tout ce qu'eux me disent de vous et Balthus qui est passé par ici avant-hier, mais vu une heure à peine, ma très grande impatience de vous revoir, tout ce qui m'en empêche de le faire tout de suite, ma joie que vous restiez à Paris, Hôtel St Romain, étrange, [c'est] où je suis allé chercher votre lettre après votre départ, tout ce temps très long ou très court, je ne sais pas, impondérable, vous, moins humaine de visage ? voir ! voir ! plus humaine plutôt me semble-t-il dans l'écriture et ce que vous dites, le dessin de vous sur une boîte d'allumettes vous souvenez-vous ? Bientôt je vous verrai, ce n'est pas le manque de visa qui m'empêche de rentrer, je rentrerai quand je voudrai, oui. C'est ma sculpture qui m'empêche de rentrer depuis 3 ans, qui me retient ici à Genève dans une vie suspendue maintenant à côté de tout et je fais l'impossible pour m'en sortir le plus vite, pour partir, il faut 15 jours à Maloja pour différentes choses et puis je rentre. Porter toutes mes sculptures Isabelle ? Si seulement j'arrive à en apporter 1 je suis plus que content (il y en a des toutes petites, 4 ou 5 mais ce n'est pas ça et puis 1 que je travaille maintenant pour faire un moulage, toujours la même détruite 20 fois depuis que je suis ici – 20 sculptures détruites réellement – je ne vais plus la détruire

10. Cyril Connolly (1903-1974), critique littéraire et romancier, co-rédacteur avec Peter Watson de la revue mensuelle *Horizon* de 1939 à 1949.

mais arriver où je peux et ne plus recommencer mais si j'arrive à avoir un moulage qui tient à peine un peu debout, ça suffit à partir de là j'aurai du travail à l'infini en continuant sans jamais plus tout recommencer.

Mais peut-être aussi je me suis mal pris et [ai] perdu beaucoup de temps, non je ne le crois pas, le temps n'est pas perdu, il fallait faire ce travail avant tout même en dehors du résultat et puis il y aura un résultat. La figure c'est vous et vous vue un instant il y a très longtemps, immobile boulevard St Michel, un soir, mais en disant ça de cette manière ce n'est pas tout à fait juste parce que ceci entraîne en même temps beaucoup d'autres choses... mais il faut la faire. Diego (je suis très content de ce que Balthus et mon autre frère qui l'ont vu me disent de lui mais très impatient de le revoir aussi) vous fera voir des petites sculptures en plâtre et bronze qui sont à l'atelier, allez les voir, mais comment sont-elles ? on ne doit presque rien voir si une vous plaît prenez-la et aussi plusieurs en attendant d'autres mais elles ne sont encore presque rien. Finir ici au plus vite, arranger pour mon visa, aller à Maloja, rentrer, tout ça le plus vite possible mais je ne veux absolument pas rentrer les mains complètement vides et je ne peux pas travailler plus que je ne fais, tous les jours, toutes les nuits, aussi longtemps que je vois clair, que je tiens debout. À côté, pas d'autres travaux, commencé il y a une année un tableau, beaucoup mieux que ceux que vous connaissez, là j'ai fait de très grands progrès sûrement. La sculpture infiniment plus difficile pour moi, c'est vraiment ce que je sais faire le moins, écrit des articles pour *Labyrinthe* sur Laurens et Callot, ça n'est pas très difficile non plus et très grande envie d'en écrire d'autres plus tard sur plusieurs autres choses mais est-ce qu'il faut faire ce qu'on sait faire ou ce qu'on ne sait pas faire ?? Watson et Connolly [ont] demandé [ma] collaboration pour *Horizon*. Vous irez voir Picasso pour moi comme Balthus vous a dit ? Il faut qu'il fasse ce qu'il a dit, ne le laissez pas en paix avant !

Il me semble Isabel que vous êtes ici assise à côté. Dans un mois, un mois et 1/2 au plus tard il faut que je sois à Paris.

Je n'ai pas envie de parler maintenant d'autre chose, de nos amis, de qui vous voyez, de qui je vois, de ce qu'ils font tous, ni de peinture ni de ce qu'on lit, ni de tant d'autres choses qui nous intéressent. Je pense à vous, à des innombrables moments, à tant d'endroits, à tant d'heures – mais pourquoi fallait-il que j'eusse des complications qui m'affolaient (physiologiques précises) et qui me révoltent un peu. Mais peut-être ce n'était pas un mal, même sans peut-être, et puis je ne sais pas pourquoi je dis ça maintenant ! Je dois avoir plaisir (ce n'est pas le mot exact mais très près) d'y penser et de le dire !

Je vais travailler, pressé, impatient de tout faire vite, vite et bientôt – je ne trouve pas les mots de dire tout ce que je veux, il y a beaucoup d'images en même temps. J'espère vous écrire très bientôt. Je ne finis pas cette lettre

Votre Alberto

Alberto Giacometti à Isabel
Lettre manuscrite à l'encre noire sur papier à lettres
et papier quadrillé.
Deux feuillets recto verso, 21 x 13,8 cm (papier à lettre)
et 16 x 19,9 cm (papier quadrillé).
Tate Gallery, inv. 9612.1.2.10 et 9612.1.2.11

[1946 ? début 1947 ?]

Paris lundi
Chère Isabel,

Je ne veux pas attendre plus longtemps pour répondre à votre très gentille (vous n'aimez pas ce mot mais je n'en trouve pas un autre maintenant) lettre bien que je ne sois pas en très bon état pour écrire mais je ne veux pas que vous puissiez croire que je ne répondrais pas. Je crois que je n'ai jamais pensé que nous ne nous parlerions plus jamais, et je dis tout de suite que je ne me rappelle pas avoir dit que vous étiez hystérique en tout cas je ne l'ai jamais pensé (c'est possible qu'une fois vous voyant avec Diane[11], les deux dans un étrange état j'ai dit que vous aviez l'air de deux peut-être hystériques ou je ne sais plus quoi mais c'est tout).

Dès que vous venez à Paris faites le savoir et il faudra venir aussi à l'atelier bien que je ne sache pas ce qu'il y aura à voir (j'ai grande envie de faire la peinture et je commence un peu il faudrait apporter quelque chose que vous avez fait, ça doit être très possible). Il est très difficile de trouver ici une habitation mais si je sais quelque chose je vous écris. La carte que vous envoyez est très jolie et que le paysage soit plus ou moins beau ne doit pas avoir une grande importance. Je n'ai plus de

---

11. Diane Kotchoubey de Beauharnais, d'origine russe et anglaise, épouse de Georges Bataille depuis 1946.

papier à lettre et je finis sur celui-ci. Mais j'ai sommeil je me suis couché ce matin à 7 h 1/2 et j'ai la tête vide et endormie.

Je n'ai plus retrouvé votre dessin, je suis allé 2 fois pour le chercher mais sans résultat, j'espère qu'il y en aura un autre pour le remplacer j'étais parti [passer] novembre et décembre chez moi à la montagne ou plutôt vallée et j'ai essayé de peindre du matin au soir et je regrettais de devoir rentrer à Paris malgré la solitude ou presque là-bas. Je voudrais en venir le plus vite possible à un résultat provisoire avec la sculpture pour pouvoir peindre et pour ceci je travaille le plus que je peux et tout est beaucoup trop lent. J'espère que vous allez réussir un peu le paysage – d'un bourg – et je suis curieux de voir les natures mortes. Non, je ne suis pas en état d'écrire aujourd'hui mais j'espère vous voir bientôt et pouvoir parler et pardonnez cette lettre décousue. Dites quand vous viendrez.

Alberto

Alberto Giacometti à Isabel
Lettre manuscrite à l'encre noire sur papier.
Un feuillet recto, 20,9 x 13,7 cm
Tate Gallery, inv. 9612.1.2.6

[février 1947]

Mercredi
Paris, le ? février 1947

Chère Isabel
Je suis ici presque seul aux 2 Magots il est 10 h1/2, du soir, les yeux
me brûlent un peu, de sommeil ou du froid et à cause de celui-ci
tout est très pénible et les journées plus désagréables que jamais.
On est paralysé et vaguement malheureux toute la journée et il
n'y a rien pour chauffer. J'essaye de travailler mais c'est très difficile, avec le plâtre il n'y a rien à faire et j'aurais une grande envie
de finir ma figure que j'ai recommencé il y a 2 jours. Le travail va
mieux ces tout derniers jours, je commence à voir quelque chose
cette fois et je pense que je pourrai avancer très vite.
Comme c'est très dur de rester à la campagne et que ça vous
coûte un effort et ça ne pourrait pas être autrement, il ne faut
pas trop insister et partir je crois. C'est vrai qu'après vous regret-
terez presque les jours passés là seule, mais ceci n'est pas un
motif pour insister. Je suis très curieux de voir le travail, il faut
apporter ici les choses et ne rien détruire. Ici c'est plus calme
que jamais, il y a Bataille et Diane que je dois revoir demain. Je
vais tout de même à l'atelier pour voir s'il y a quelque chose à
faire ou sinon, tant pis, dormir. Vous décrivez très bien les soirs
et les journées à la Chapelle St M[artin][12].
Très affectueusement
Alberto
[P.S.] J'envoie la lettre bien qu'elle reflète mon état ce soir

12. Dans l'Indre. Isabel loue pendant quelques mois une maison de village laissée vacante
par le peintre Peter Rose Pulham et son épouse.

Isabel à Alberto Giacometti
Carte postale manuscrite à l'encre bleue.
FAAG, inv. 2003-1890

Adressée à : *Alberto Giacometti / 48 [sic] rue Hyppolite Maindron / PARIS XIVème / France.*
Au verso : le tableau de Burnes-Jones, *King Cophetua and the beggar maid*, de la Tate Gallery, Millbank, entouré de dessins de Giacometti au crayon.

[cachet de la poste de Londres du 8 mai 47]

Pour Jupiter von Stinkhorn[13]
Tous mes plaisirs de la vie en Angleterre. I am sitting in a PUB with a sculptor called Polozzi[14]* who is coming in Paris. He's a scot. Tell Balthus – but I think his ancestors came from Naples.
Keep your [*dessin d'un œil*] on the Cour de Rohan[15] for me.
* He's bringing some/Saturday Evening Posts"

Pour Jupiter du Stinkhorn
Tous mes plaisirs de la vie en Angleterre. Je suis assise dans un PUB avec un sculpteur nommé Polozzi* qui va venir à Paris. C'est un écossais. Dites-le à Balthus – mais je pense que ses ancêtres viennent de Naples.
Gardez l'[*dessin d'un œil*] sur la Cour de Rohan pour moi.
* Il apportera quelques Saturday Evening Post

13. *Stinkhorn* est le nom anglais du champignon *Phallus impudicus*.
14. Eduardo Paolozzi (1924-2005), élève des écoles d'art de Londres avant de venir à Paris en 1947. Membre fondateur de l'Independent Group, lié à l'Institute of Contemporary Arts fondé par Peter Watson et Roland Penrose.
15. Adresse de l'atelier de Balthus, qu'Isabel occupa quelquefois avant-guerre.

§ pour Jupiter von Stinkhorn?

Tous les plaisirs de
la vie en Angleterre.

I am sitting in a PUB
with a sculptor called
Palozzi* who is coming
to Paris. He's Scot-
Tell Balthus. — but I
think his ancestors came
from Naples.

Keep your 👁 on the Cour de
Rohan for me.

\# He's bringing some
Saturday

Albert Giacometti.
48 rue Hyppolite Maindron
PARIS XIVème
FRANCE

LONDON
BRITISH INDUSTRIES FAIR
MAY 5TH-16TH 1947
LONDON & BIRM'GH'M

TATE GALLERY, MILLBANK
BURNE-JONES 1771 KING COPHETUA AND THE BEGGAR MAID

Isabel à Alberto Giacometti
Lettre manuscrite à l'encre noire sur papier blanc.
Un feuillet recto verso, 33 x 20,3 cm
FAAG, inv. 2003 1891

[octobre 1947]

La Maison Harpie
Nouvelles sensationnelles
de
Londres
Une Harpie trouve un Vampire

Messieurs, mesdames, c'est avec plaisir et regret, que je vous
signale un événement très inattendu, qui vient d'arriver en
Angleterre, lequel était déjà publié dans la presse britannique.
Ces nouvelles, qui ont produit émotion profonde dans un milieu
assez restreint (dit en Anglais "intellectual circles") sont l'annonce du prochain mariage – ou si on veut bien – de la fusion
– d'un certain M. Constant Lambert (musicien, compositeur,
chef d'orchestre, bon viveur, auteur renommé de vers satiri-
ques et humoristiques, un monsieur qui aime le vin, le rire, le
dégagement, la vie en vitesse, les chats, les salamandres, les
agréments de la vie, les aquariums , les baleines, les étoiles
de mer, les cailloux et les cartes postales) – avec une certaine
dame, qui rit de bon cœur, qui aime beaucoup Paris, et qui
n'a pas l'intention d'oublier cette ville de merveilles – Madame
Isabel Delmer.
Cette dame, qui n'était jamais très bien disposée envers l'idée
du mariage, pense que cette fois-ci elle est tombée sur un cas
PARTICULIER, par raisons d'état d'esprit, de nerfs, d'équilibre,
de la manière de vivre et plusieurs autres raisons encore, de la
part du monsieur en question ; en conséquence elle a décidé
qu'une forme extérieure de permanence lui donnera beaucoup
plus de liberté dans la vie que n'importe laquelle autre solution
qu'elle pourrait trouver. Son futur époux est du même avis.
Il n'aimerait pas mieux qu'elle continue son travail tranquil-
lement, sauf pour une petite parenthèse – voire qu'un jour
elle serait prête à collaborer avec lui sur un article intitulé
L'AQUARIUM de NAPLES. C'est lui qui l'écrira, pendant qu'elle
fera les dessins. Bien entendu cette parenthèse ne présentera point
point de difficultés.
VOILÀ COMMENT VA VITE LA VIE VORACE.
Elle voudrait SURTOUT insister, messieurs, mesdames, sur le

fait qu'elle viendra régulièrement à Paris soit à deux, soit très probablement seule, qu'elle ne coupera JAMAIS ses liens avec cette belle ville, ni avec les gens qui y habitent.

Elle espère qu'elle ne sera pas considérée ni comme une lâche, ni comme une frivole, et que par son propre effort, elle se montrera digne des sentiments d'affection qu'on lui témoignait jusqu'à présent.

Elle espère également, que, le 7 Octobre (fête de Thésée à son retour à Athènes ayant occis le Minotaure) ses amis verseront MAINTS VERRES à son bonheur et à la continuation d'une vie entre LONDRES et PARIS.

Une réponse sera reçue avec joie. Voici l'adresse provisoire : Flat 3, 11 Gloucester Gate, N.W.I. LONDON.

IAD

Isabel à Alberto Giacometti
Carte postale manuscrite à l'encre noire.
FAAG, inv. 2003-1892

Adressée à : *la famille Giacometti / 48 rue Hyppolite Maindron / PARIS XIVème.*
Au verso : *Drinking-cup by Sotades (D 7), 5th cent. B.C. / The death of Archemoros. British Museum.*

[cachet de la poste de South Kensington du 19 décembre 1947]

Salutations de Londres
Quelques verres à Noël
Hommage au sculpteur
Hommage au squelette
I.A.L.

POST CARD

THIS SPACE MAY BE USED FOR PRINTED OR WRITTEN MATTER.

COURT KENSINGTON
10 DEC
1947
S.W. 7.

POST EAR

THE ADDRESS ONLY TO BE WRITTEN HERE.

for CHRIST

POSTAGE REVENUE 2½

Quelques verres à Noël

Salutations de Londres

Hommage au sculpteur

Hommage au squelette

‡

La famille
Giacometti
48 rue Hippolyte
Maindron
PARIS XIV ème
FRANCE

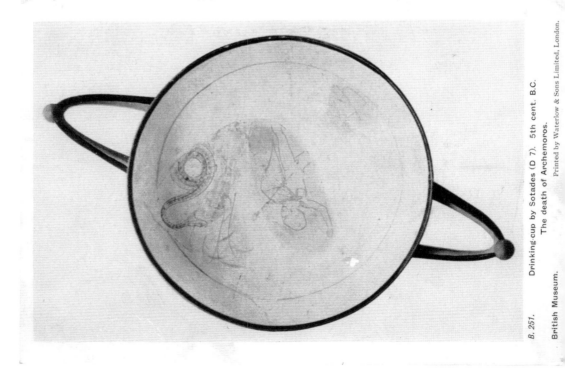

B. 251.   Drinking-cup by Sotades (D 7). 5th cent. B.C.
The death of Archemoros.
British Museum.   Printed by Waterlow & Sons Limited, London.

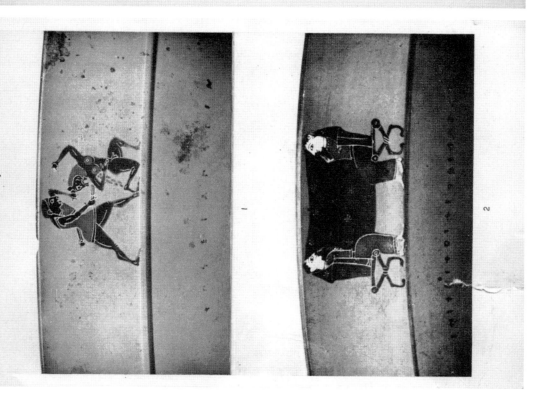

BRITISH MUSEUM ... XXVII   ATHENIAN BLACK-FIGURE VASES

3. PICTURES FROM THE LIPS OF TWO WINE-CUPS. Theseus and the Minotaur (B403). Two women seated, wrapped in one mantle (B409). Both middle of the sixth century B.C. Both found at Vulci.

What song the Sirens sang?

Voici un minotaur BIEN *occis* (?).

Je vous envoie la plus jolie carte postale que j'ai jamais trouvée.

BY AIR MAIL PAR AVION

POST EARLY

B... CHRISTMAS

LONDON 20 DEC 1947

POSTAGE REVENUE 2½

M. Giacometti et sa fille.

48 Hippolite Maindron

PARIS XIV ème

FRANCE

Isabel à Alberto Giacometti
Carte postale manuscrite à l'encre noire
FAAG, inv. 2003-1893

Adressée à : *M. Giacometti / et sa fille / 48 Hyppolite Maindron / PARIS XIVème.*
Au verso *Thésée et le Minotaure* portant la légende : *British Museum ... XXVII Athenian Black-figure vases / 3. Pictures from the lips of two Wine-cups. Thesus and the Minotaur (B403). Two Women seated, wrapped in one mantle (B409). Both middle of the sixt century B.C. Both found at Vulci.*

[cachet de la poste de Londres du 20 décembre 1947]

What song the Sirens sang ? Voici un minotaure BIEN occis (?). Je vous envoie la plus jolie carte postale que j'aie jamais trouvée.
IAL

Isabel à Alberto Giacometti
Carte postale manuscrite à l'encre bleue.
FAAG, inv. 2003-1894

Adressée à : *A et A / Les Giacometti / 48 rue Hyppolyte Maindron / PARIS XIVème / France.*
Au verso : *LOWER PORTION of skirted female figure. Painted sandstone. From Central/ Provinces : 10th century, A.D./ Indian Museum, Calcutta.*

[cachet de la poste de Londres du 27 avril 1948]

197 Albany St/ N.W.1

Une grande amie à moi, Elizabeth Lutyens[16], est à Paris (à l'hôtel St Romain). Elle passera sûrement à St Germain des Près. Si elle vous voit peut-être vous pourriez lui donner les reproductions romaines – si elles existent encore.
Je travaille beaucoup. Je viens moi-même au mois de JUIN
IAL
[P.S.] J'écrirai bientôt plus longuement.

---

16. Compositrice anglaise (1906-1983), fille de l'architecte Edwin Lutyens. Personnalité flamboyante et non conventionnelle, elle fut une des premières adeptes de la musique dodécaphonique et sérielle en Angleterre.

Isabel à Alberto Giacometti
Carte postale manuscrite à l'encre noire.
FAAG, inv. 2003-1895

Adressée à : *M. Alberto Giacometti / 48 Hyppolite Maindron /*
PARIS XIVème / France.
Au verso reproduction d'une sculpture : *Seated Figure*
of Bethmes. 111rd Dynasty, B.C. 3800. / British Museum.
Printed at Oxford University Press.

[cachet de la poste de Londres du 30 octobre 1948, 12 h 15]

J'ai apporté les deux dernières toiles (c'est-à-dire celles que
j'ai faites depuis mon retour de Paris) à la galerie Hanover
– une nouvelle mais une des meilleures de Londres et on m'a
proposé une exposition en Octobre 49 ! J'ai dit OUI la dame
de la galerie[17] était très enthousiaste (cela m'étonne.) Me voilà
avec un an de travail.
I
[P.S.] La statue est là enfin, au British.

Isabel à Alberto Giacometti
Carte postale manuscrite à l'encre noire.
FAAG, inv. 2003-1896

Adressée à : *M. Alberto/Giacometti / 48 Hyppolite /Maindron /*
PARIS XIVème / France.
Au verso : BRITISH MUSEUM / Painted terracotta tile-end.
Etruscan, late 6 th century B.C. / From Cervetri in Tuscany.

[cachet de la poste de Londres du 30 octobre 1948, 12 h 45]

C'est toujours les mêmes sujets squelettes de poissons et
oiseaux. Quand – quand ? – j'aurai avancé un peu plus je ferai
faire des photographies et je vous les enverrai. À moins qu'Annette vienne quelques jours ici – en tel cas elle pourrait vous
les décrire. Toujours à PICARD.

---

17. Erica Brausen (Dusseldorf, 1908 - Londres, 1992). Homosexuelle, elle fuit l'Allemagne nazie
en 1933 pour Paris. Arrivée en Angleterre en 1939, elle ouvre la Hanover Gallery à Londres en 1947
avec le soutien financier d'Arthur Jeffress. Elle y expose Bacon, Giacometti, Balthus.

Alberto Giacometti à Isabel
Lettre manuscrite à l'encre bleue sur papier beige.
Un feuillet recto verso
Tate Gallery, inv. 9612.1.2.8

[vers février 1949]

Stampa, Bregaglia
Ct des Grisons
Jeudi

Merci pour la longue lettre reçue ici chez ma mère où je suis depuis bientôt trois semaines et depuis trois jours dans la neige et le froid ce qui n'est pas désagréable après presque trop de soleil. Et l'exposition comment va-t-elle ? Je regrette de ne pas la voir parce que j'aime beaucoup les squelettes d'oiseau de la photographie et le fond aussi il reste très léger et ils sont très bien dessinés et aigus. Une fois à Paris je vais demander à Peter[18] de me faire voir les autres. Et vous avez déjà commencé les gravures ? (Picard vous a joué un pauvre tour il me semble.) Je vous verrai à Paris, je serai rentré d'ici là. Le temps passe trop vite ici aussi et il me semble avoir une quantité de choses à faire. J'ai recommencé un portrait de ma mère et des choses de mémoire, je verrai ce que ça donnera d'ici la fin du mois, mais je veux continuer en tout cas longtemps avec la peinture. À Paris j'avais commencé aussi avec des paysages mais à peine, ça reviendra. J'ai laissé Annette à Paris, elle travaille toujours un peu, ça l'ennuie et elle veut faire un petit voyage jusqu'à Marseille mais ça m'étonnerait un peu qu'elle se mette en route !
J'ai fini et fait fondre beaucoup de sculptures, elles sont parties mais pour le moment je ne sais plus du tout ce que je pense d'elles !
J'ai toujours la tête moitié là-bas, moitié ici, nulle part tout à fait, un peu en l'air comme le très magnifique dessin du Stinkhorn !
Voilà les dessins qu'il faudrait faire et plus ! aussi obscènes que possible ! C'est tout ce que je sais dire ce matin, d'ailleurs ici pas l'endroit pour écrire.
Je me réjouis de vous voir, et Constant, bientôt à Paris.
Très affectueusement
Alberto

---

18. Il peut s'agir de Peter Watson ou de Peter Rose Pulham.

Isabel à Alberto Giacometti
Lettre manuscrite à l'encre bleu nuit sur papier beige.
Trois feuillets recto verso, 25,3 x 20,1 cm
FAAG, inv. 2003-1897

[1948 ?]

Salutations de Londres
aux A.A. à Paris

Je serai à Paris à partir du 13 ou 14 septembre espérons pour un mois ou plus. Constant va diriger à Besançon où il y aura un Festival de Musique et puis il revient à Paris, aussi pour diriger une saison de ballet. Pour ma part je voudrais BEAUCOUP trouver un endroit possible pour continuer le travail à Paris. Si jamais vous entendez parler d'un coin libre entre le 13 jusqu'au 13 octobre envoyez moi un mot je vous en prie. Peut-être comme beaucoup de monde se trouvent en vacance à cette époque se serait pas trop difficile. (La cour de Rohan ?)

Je me lance dans la peinture à l'huile. Je crois que Peter vous a dit quelque chose sur ce sujet. Il a tout vu et paraît très enthousiaste. C'est LOIN, LOIN de ce qu'il faut mais au moins je me sens complètement obsédée et j'ai une idée nette dans quoi je voudrais réussir. Je me sens tout à fait autrement placée vis-à-vis tout le problème de la peinture qu'il y a un an.

Toujours les mêmes sujets à peu près. Squelettes d'oiseaux, chauve-souris, poissons – aussi grande envie de faire un paysage avec les pigeons, un chat et un personnage à la distance, dedans. C'est tellement long. Je me sens pressée. Grande vitesse. J'ai perdu trop de temps avec des idioties. Le temps m'effraie.

En ce moment à part une quantité plus ou moins moche de gouaches j'ai 3 toiles. Mais il faut tout enlever et recommencer la même chose. La difficulté est que dans ce que je fais actuellement je ne peux pas travailler au-dessus sur la toile, c'est-à-dire bâtir peu à peu une peinture en approchant un petit peu plus près chaque jour à réussir une chose plus exacte et plus définitive parce que je voudrais mettre l'objet sur la toile d'un coup, comme si la forme était dessinée par un souffle si on peut dire. Alors le seul procédé est de tout rayer chaque soir et tout recommencer chaque matin – ce qui est très fatigant, et plutôt déprimant à cause que l'atelier reste toujours vide.

[dessin] Une est un peu comme ceci.

Le même squelette vu de deux positions différentes, une petite chauve-souris en haut.

2

et que dans ce que je fais actuellement
je ne peux pas travailler au-dessus sur la toile,
c'est à dire bâtir peu à peu une peinture en
approchant un petit peu plus près chaque jour
à réussir une chose plus exacte et plus
définitive parce que je voudrais mettre l'objet
sur la toile d'un coup, comme si la forme
soit se désigner par un souffle si on peut dire.
Alors la seule procédée est de tout rayer chaque
soir et tout recommencer chaque matin —
ce qui est très fatiguante, et plutôt déprimante
à cause que l'atelier reste toujours vide.

Une est un
peu comme

ceci. →
La même
squelette vu
de deux positions
différentes.
un petit chaume
souris
en haut.

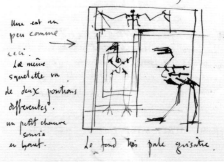

Le fond très pâle grisâtre.

que tout ce que tous les autres pourrait me
dire. Quelquefois, même très souvent, je n'ai
aucune idée si j'avance — non, cela n'est pas
vrai — je sais que j'avance, mais je ne sais
pas à quel point je me suis. Maintenant en
tout cas, je me suis décidée ce que je veux
faire. J'ai besoin de courage. Si je prends
quelque tentatives pour exposer c'est uniquement
parceque je me sentirai plus indépendante,
plus situé vis à vis moi même.

J'espère beaucoup vous seriez
vous deux à Paris quand j'arrive..

Quelques ☂ ☂ ?

J'ai une curieuse sensation, d'avoir 20
ans. Ce n'est pas vrai — 10 ans à
rattraper

A bientôt
Comment   Et les
va la gouttière?   bas
                                           d'Anette?

Le fond très pâle grisâtre.

Le mieux je crois pour moi, serait de trouver un grand rouleau de papier épais pour peindre dans le but d'éviter le sentiment très gênant qu'il faut faire attention ne pas trop souvent abîmer les toiles qui coûtent tellement cher. Je ne sors presque jamais sauf pour aller boire dans les "pubs" les plus proches. Je ne vois personne, ce qui me réjouit beaucoup. J'étais très contente de recevoir l'autre jour le nouveau livre de Michel[19]. Je suppose qu'il est parti il y a longtemps. J'ai écrit à Zette, mais peut-être elle est aussi absente.

Si j'avais des choses plus avancées je ferais faire des photos, mais pas de chance avant mon départ.

Le temps dernièrement était affreux – la pluie continuelle et un froid d'hiver. La pénurie de cigarettes est devenue affolante. C'est un pays sinistre. Je me tiens farouchement à ma tour abolie.

J'ai trouvé le livre le plus magnifique qui s'appelle HALF MILE DOWN, par Beebe[20], le savant Américain qui est descendu dans son bathysphère plus de 3 000 mètres sous la mer. Des descriptions inoubliables de la descente, de la lumière éblouissante d'un bleu inimaginable, qui semblait être brillante mais qui était trop sombre en même temps pour distinguer une page vide d'une page imprimée. Descriptions des poissons dans les eaux profondes et noires, tons allumés – étincelants comme les étoiles en mouvement, et une quantité fantastique des milliers et des milliers de petits organismes fragiles, des grands, des moyens.

Combien j'aimerais descendre moi-même ! Des photographies étonnantes aussi. Si ce livre est traduit en français il faut absolument le lire.

Peut-être j'apporte en France quelques esquisses pour vous montrer parce que vous devez savoir que votre seule opinion me vaut plus que tout ce que tous les autres pourrait me dire. Quelquefois, même très souvent, je n'ai aucune idée si j'avance – non, cela n'est pas vrai – je sais que j'avance, mais je ne sais pas à quel point j'en suis. Maintenant en tout cas, je me suis décidée [sur] ce que je veux faire. J'ai besoin de courage. Si je prends quelques tentatives pour exposer c'est uniquement parce que je me sentirai plus indépendante, plus située vis-à-vis [de] moi-même.

J'espère beaucoup vous serez vous deux à Paris quand j'arrive.

Quelques [*dessin de verres*] ?

J'ai une curieuse sensation, d'avoir 20 ans. Ce n'est pas vrai – 10 ans à rattraper.

À bientôt

Comment va la gouttière ? Et les bas d'Annette ?

Isabel

19. Michel Leiris. S'agit-il du premier volume de *La Règle du jeu*, paru en 1948 ?
20. William Beebe. Le livre date de 1934.

Isabel à Alberto Giacometti
Lettre manuscrite au crayon sur papier blanc.
Deux feuillets recto, 26,9 x 20,9 cm
FAAG, inv. 2003-1898

[1948 ?]

La Mansarde

Très chers amis,

Désolée que je ne pourrai pas monter vous voir avant votre départ. Beaucoup d'ennuis de Londres, discussions sur les affaires (presque non-existantes), ma mère malade, ne sachant pas si je devrais partir ou pas. Heureusement pas. Mais, j'ai la chance maintenant, d'être encore ici à votre retour.
Très drôle de reportage de Peter (qui assistait) sur la discussion inventée par Sylvester. Il y avait 4 peintres, j'inclus Sutherland (grand admirateur) et 3 sculpteurs, y inclus Turnbull. Quelques peintures, quelques bronzes et sur l'écran, projetés par une lanterne magique, œuvres de toutes époques. Je traduirai la lettre un de ces jours. Détail amusant quelqu'un a demandé si vous avez jamais vu un modèle de près. Peter a répondu qu'il supposait que oui étant donné que votre atelier n'avait qu'à peu près 3 mètres de [côté au] carré.
Je travaille, en ce moment, à la vue de cette fenêtre. J'ai fait du progrès avec les deux têtes
– mieux qu'avant. Je vous envoie "la beauté décadente". C'est idiot.
J'espère beaucoup, beaucoup que j'y serai toujours au mois de juin.
Vu Balthus, il me semble qu'il va mieux.
Je souhaite, avec émotion, que le temps pendant les prochaines semaines sera plutôt mauvais, comme cela je peux très bien tenir à la mansarde.
À bientôt
IAL

Isabel à Alberto Giacometti
Lettre manuscrite à l'encre noire sur page de carnet.
Un feuillet recto, 10,9 x 17,3 cm
FAAG, inv. 2003-1899

[date ?]

Hotel St Romain

Cette invitation est surtout une annonce de mon arrivée.
À partir de DIMANCHE nous serons au City Hôtel – mais
j'aimerais passer à l'atelier Samedi. TRÈS IMPATIENTE de
voir les dernières choses – et très impatiente de vous voir
– vous-même.
À très bientôt
LOVE
ISABEL

Isabel à Alberto Giacometti
Lettre manuscrite à l'encre bleue sur papier avion blanc.
Un feuillet recto 22,5 x 14,2 cm
FAAG, inv. 2003-1900

Enveloppe avion adressée à : *Monsieur Alberto Giacometti /
48 rue Hippolyte Maindron / PARIS XIVème.*

[cachet de la poste du 11 octobre 1951]

Hotel St Romain
Jeudi le 11 Octobre

Une fois de plus ici. Demain j'irai à Orléans voir Georges et
Diane et je rentre ici samedi après-midi.
Je reste à Paris jusqu'à mercredi prochain.
Je passerai à l'atelier probablement le dimanche, à moins
que vous me disiez un jour spécial. J'aimais énormément
Florence.
À très bientôt j'espère
I.A.L

Isabel à Alberto Giacometti
Carte de vœux avec inscription manuscrite à l'encre bleue.
20 x 11 cm
FAAG, inv. 2003-1901

Reproduction au verso : *Portrait of Isabel by Andre Derain*, et le
texte imprimé : *With best wishes for Christmas and the New Year
from ALAN & ISABEL RAWSTHORNE.*

[après 1951]

Je ne sais pas si cette photo ressemble réellement au tableau.
Je travaille beaucoup sans facilité. Il faut voir si une chose se
réalise ou non – À Paris vers mars (fin).

Isabel à Alberto Giacometti
Photographie en noir et blanc d'Isabel par John Deakin.
22,2 x 11,7 cm
FAAG, inv. 2003-1902

[après 1952]

Au verso : inscription au stylo bic bleu.

DO YOU ?

Isabel à Alberto Giacometti
Lettre manuscrite à l'encre noire sur papier beige.
Quatre feuillets recto, 25,3 x 20,2 cm
FAAG, inv. 2003-1903

[vers 1954]

197 Albany Street N.W.1

À

Annette   Alberto

Je voulais vous écrire depuis longtemps, depuis mon retour en effet. Mais le temps court comme d'habitude. Trop de choses à faire, à oublier.

J'avais l'intention de venir à l'atelier pendant les 2 jours que j'étais à Paris en rentrant de la campagne. J'avais grande envie d'un côté, de l'autre, pas beaucoup. Je me sentais pas du tout à mon mieux et le voyage s'est fait en grande vitesse. En plus toutes les peintures étaient détruites. Je n'avais que les toiles roulées.

N'importe. J'ai l'intention de venir à Paris peu après Noël.

Je travaille vraiment beaucoup – sans un résultat quelconque jusqu'à maintenant.

Je lutte presque avec désespoir parmi les nus. Les nus couchés, les nus debout, les nus au jardin, les nus à l'intérieur, deux ensemble, un seul, assis, devant la fenêtre – en couleurs de terre, en couleurs très claires – où est-ce que je peux en venir? Et, si tout cela n'est pas assez – les paysages !

Je voudrais beaucoup peindre une assez grande toile de la Tamise. Une vue vraiment superbe, qu'on voit en descendant une pente sur la rive du Sud, où on se trouve d'un coup en face de docks. Des dizaines des grues se lèvent contre un ciel gris bleu – le fleuve très puissant, tourne dans une courbe violente, brun noir de couleur. Et des dizaines de péniches, de petits bateaux et de vaisseaux de tous les coins du monde.

Ce n'est pas du tout mal ici en Angleterre. Londres est jolie l'automne. Je ne sors pas beaucoup. Je suis contente sauf pour les ennuis journaliers (Finances très très difficiles – jamais on a été aussi bas).

Tout de même je ne veux à aucun prix, me séparer trop long-temps de la France. C'est drôle – Constant est beaucoup plus nostalgique envers Paris que moi !

Il travaille aussi beaucoup. Il a un grand ballet qu'il veut monter l'année prochaine sur un joli sujet – Tirésias. (Est-ce que c'est compréhensible en Français ?)

Ce qu'on pourrait appeler peut-être – L'HISTOIRE ALBERTO EN ANGLETERRE[21] – est devenu assez drôle. Tout le monde en parle – mais très peu ont la moindre idée de quoi il s'agit. La grande sculpture à la Tate, l'homme, est magnifique, même si ce qu'il y a autour est un mélange invraisemblable. Le portrait également.

On dit qu'il y aura une grande exposition ici[22]. Est-ce que c'est vrai ? Moi je ne dis rien dans toute cette découverte. Je suis trop près – mieux silence.

J'espère beaucoup que je serai rue d'Alésia bientôt. C'est le seul endroit à Paris qui me manque ici –

Et un jour il faut qu'Annette vienne à Londres. La Tamise lui plaira.

À bientôt

IAL

Isabel à Alberto Giacometti
Carte postale représentant un bas-relief grec.
FAAG, inv. 2003-1904

Adressée à : *Monsieur et Madame / Alberto Giacometti / 48 rue Hyppolite/Maindron / XIVème PARIS / France.*

[cachet de la poste du 30 septembre 1954]

Très chers amis
La semaine prochaine à l'Opéra il y aura plusieurs représentations du ballet "Tirésias", musique de Constant, décor par moi-même. On m'a dit à partir du 4 Octobre. Peut-être vous auriez la chance d'y aller. Il faut absolument que je vienne vous voir bientôt.
IAL

21. En 1954, une polémique montée par des esprits mal intentionnés vise le directeur de la Tate Gallery, John Rothenstein, prenant pour prétexte des acquisitions qui n'auraient pas respecté les règles d'emploi des fonds. Parmi ces achats, il y avait trois œuvres d'Alberto Giacometti, une sculpture et deux peintures, acquises en 1949.
22. L'exposition eut lieu de juin à septembre 1955 à la galerie de l'Arts Council. Le commissariat était assuré par David Sylvester.

Isabel à Alberto Giacometti
Lettre manuscrite à l'encre noire sur papier beige
à en-tête imprimé.
Un feuillet recto verso, 22,5 x 17,6 cm
FAAG, inv. 2003-1905

Enveloppe adressée à : *Madame Alberto Giacometti / 48 rue Hippolyte Maindron / PARIS XIVème / France.*

[cachet de la poste de Saffron Walden du 29 octobre 1954]

Sudbury Cottage
Little Sampford
Saffron Walden
Essex

Le 27 Octobre
Chère Annette

Grande joie de recevoir votre lettre, et de savoir que vous pourriez aller voir le ballet. Grands remerciements pour le cliché, c'était la première nouvelle que j'avais là-dessus, de Paris. (Depuis, une carte de Zette et Michel[23])
Tout ce que vous m'avez raconté sur le voyage à Nice m'a plu beaucoup. Je m'imagine la tête d'Alberto, vis-à-vis des femmes sur la plage. Qu'il dessine Matisse, je trouve [cela] fascinant.
Il faut absolument que je vienne à Paris bientôt. Je voudrais bien vous raconter, à vous deux, les impressions de la Grèce. J'étais là presque deux mois. Aussi parler d'autres sujets qui m'occupent beaucoup.
Je vous envoie 2 photographies, une de la chaumière que j'habite (pas châtelaine, moi) et l'autre d'un village à côté de chez moi – [avec] moi, à gauche. Très joli paysage partout. Je dois faire encore un décor pour le ballet, et ensuite je renonce au travail théâtral, sinon je ne peindrai jamais mes trois beaux chats, les oiseaux volant au-dessus des champs, les buissons en fleurs, ni rien du tout. Tant pis pour l'argent. On n'a pas le même besoin à la campagne. Vive Manchester !
Mais je viendrai bientôt à Paris.
En toute amitié (or all that you wish for yourself)
Isabel
[P.S.] Vous voyez que j'oublie le français.

23. Louise (dite Zette) et Michel Leiris.

Isabel à Alberto Giacometti
Lettre manuscrite au stylo bic noir sur papier gris
à en-tête imprimé.
Un feuillet recto, 22,7 x 17,7 cm
FAAG, inv. 2003-1806

[date ?]

Sudbury Cottage
Little Sampford
Saffron Walden
Essex
Tel. Great Sampford 250

Chers A et A.

Nous viendrons passer une semaine à peu près en France le 11
mars, d'abord près de Fontainebleau.
Après, faire un petit voyage pour jeter un coup d'œil sur 2
maisons dans la région Tarn et Garonne.
Ce plan n'est pas absolument certain mais de toute façon je
serai à Paris quelques heures et j'espère beaucoup de vous
trouver là aussi.
Je téléphonerai [à la] fin de la semaine prochaine pour savoir.
En espérant comme toujours.
Isabel

Isabel à Alberto Giacometti
Lettre manuscrite au stylo bic bleu sur une page de bloc à dessin.
Un feuillet recto, 49,6 x 40,5 cm
FAAG, inv. 2003-1907

[25 août 1960]

Sudbury Cottage
Le 25 Août

À Annette et Alberto

J'avais le désir de venir à Paris vers la fin de ce mois mais c'est
impossible, ce serait vers Noël. Beaucoup d'événements m'ont
réduite à un état plutôt faible (La mort de ma mère ici, chez

moi, étant avec elle, seule, exprès n'était pas drôle). En fait sans être malade je ne dois pas voyager même à Londres pour, disons, un mois. Je prends des pilules extraordinaires, fortes. Il n'y a rien de grave dans le physique. Il paraît que je souffre dans la TÊTE – ? – Je me sens pas mal du tout.

C'est Alan qui m'a dit qu'il fallait absolument parler avec ce médecin qui est bien. Il trouvait cette idée à moi de faire tout soi-même idiote et vaniteuse. Alan veut beaucoup venir à Paris aussi, mais il a trop de choses à faire en ce moment. Deux nouvelles compositions, pour orchestre (réduit). Pour Newcastle, janvier et le festival de Cheltenham au mois de juin prochain – mais qui sait. Il faut voir ce que nous pouvons inventer. Je viendrai moi-même parce qu'il le faut !

Dernièrement j'étais dans une contrée, le West Country de l'Angleterre que je connaissais pas du tout, célèbre pour sa beauté où je nageais dans la mer et me réjouissais. Et, tout à fait récemment un ami de ce pays-ci nous à conduit à un endroit incroyable, presque inconnu à dix kilomètres d'ici. Avec des tombeaux !!! Les sculptures vraiment étonnantes. C'est isolé, pas de photographies ni personne.

Les tombeaux datent du 12ème jusqu'aux guerres religieuses et même après c'est-à-dire 17ème. L'église est plus ancienne. Je ferai les copies à l'aquarelle et je les apporterais la prochaine fois que je viens vous voir. J'ai commencé les panneaux à l'aquarelle et aussi sur bois artificiel (?) assez grands. Animaux Magiques. Je continue à peindre d'après nature.

Merci beaucoup pour la carte postale de Rome. Elle m'a beaucoup plu.

À bientôt
Isabel

L'exposition Picasso (très bien montée !!) fait fureur[24].
Dis à Diego que je n'ai pas oublié le cheval avec l'homme dessus ni le chat.

24. Exposition *Picasso*, Tate Gallery, juillet 1960.

Isabel à Alberto Giacometti
Lettre manuscrite au stylo bic noir sur papier blanc
à en-tête imprimé.
Un feuillet recto verso, 22,8 x 17,16 cm
FAAG, inv. 2003-1908

Enveloppe *by air mail* adressée à l'encre noire à : *Monsieur
et Madame Giacometti / 48 rue Hippolyte Maindron /
PARIS 14ᵉᵐᵉ / France.*
Jointes : cinq photographies d'Isabel et sa maison, et deux
photos de tableaux représentant des personnages à tête
d'oiseaux.

[3 septembre 1963]

Sudbury Cottage
Little Sampford
Saffron Walden
Essex
Tel. Great Sampford 250

Le 3 Sept.
Chers A et A

Comme vous voyez, [nous ne sommes] pas venus le mois
d'août. Mais c'est sûr que je viendrai la fin septembre, c'est-
à-dire le 24 pour quelques jours pendant qu'Alan se trouve à
Moscou. Après, en octobre nous venons tous les deux passer
une dizaine de jours près de Fontainebleau.
J'étais tout à fait exaltée par tout ce que j'ai vu chez vous c'est-
à-dire la santé d'Alberto, les portraits, le buste d'Annette, la
maison de Diego et le travail de Diego, l'appartement d'Annette, l'ensemble en fait. Ce qui était tellement bien pour moi,
ce qui reste dans la tête était l'impression de travaux en mouvement. Une impression de grand sursaut d'énergie.
J'étais aussi très touchée de voir le premier buste de moi-
même que je trouvais très très beau. Il faut garder une copie
pour moi, j'aimerais tant l'avoir ici chez moi – le temps jadis
– la jeunesse – J'ai peur que les marchands descendent pour
tout ramasser.
Je vous envoie quelques "snapshots" de chez moi. Les couleurs
sont assez drôles mais vous verrez un peu ce que c'est.

À très bientôt j'espère.
(Si vous deviez partir par hasard, dites-le et je viendrai plus tard)
Francis Bacon m'a dit qu'il a vu Alberto. C'est bien parce qu'il est très gentil.
Isabel

Annette Giacometti à Isabel
Lettre manuscrite au stylo-bille bleu sur papier à lettres blanc.
Deux feuillets recto verso
Tate Gallery, inv. 9612.1.2.12

[9 septembre 1963]

Le 9 septembre
Chère Isabel

On a reçu votre lettre et les photos. Comme c'est joli votre chaumière. Il faudra vraiment que je vienne vous voir dans la campagne – seule si je n'arrive pas à emmener Alberto. Maintenant je vous écris parce que le 24 septembre Alberto ne sera pas à Paris. C'est à cause de sa mère qui va assez bien mais pourtant elle est faible et Alberto ne veut pas la laisser seule. En ce moment Diego est à Stampa mais le 15 septembre il rentre à Paris et c'est de nouveau Alberto qui monte. Et ça va être probablement comme cela tout l'hiver – ils vont monter à tour de rôle – et moi j'y vais de temps en temps. Alberto me dit de vous écrire comme il était content de votre visite et de vous voir très bien (et moi aussi) et qu'il a l'intention de vous écrire de Stampa. Et moi je ne pars le 15 pour Stampa, j'irai plus tard. En attendant je n'ai pas de projet mais peut-être que je ferai un voyage – enfin je ne sais pas – j'ai plutôt des ennuis pour le moment, ou en tout cas quelques contrariétés ! ... Enfin je vais m'en arranger de quelque manière. De toute façon si vous venez à Paris ou à Fontainebleau faites-moi signe 70 r. Mazarine (MED 49-07) ou bien à l'atelier où je viens chaque jour (FON 59-31) – tous ces téléphones !! Alberto va très bien, cela l'ennuie un peu de quitter Paris mais à Stampa il peut travailler comme ici et de toute façon il ne veut pas laisser sa mère seule – souvent elle est angoissée parce qu'elle se sent très âgée et faible.

J'habite maintenant en partie la rue Mazarine que j'aime beaucoup mais tout ne marche pas comme j'aimerais... alors je tape les pieds par terre !
À bientôt j'espère – je pense qu'Alberto restera à Stampa environ un mois c'est-à-dire jusque vers le 15 octobre.
Je vous embrasse de la part d'Alberto et Annette.
Il faudra que vous preniez le premier buste de vous (on en garde un en tout cas) rue Mazarine j'ai pris l'autre que j'aime beaucoup (celui que vous avez déjà)

[Annette]

Annette Giacometti à Isabel
Lettre manuscrite au stylo-bille bleu sur papier à lettres rose.
Un feuillet recto verso
Tate Gallery, inv. 9612.1.2.13

[fin juin 1964]

70 rue Mazarine
Chère Isabel

Je vous envoie un chèque que m'a donné Lucian Freud. Pouvez-vous le faire encaisser tout de suite.
Nous viendrons très probablement à Londres au mois d'août, Alberto "pour affaire", c'est-à-dire en prévision de son exposition de l'année prochaine à la Tate Gallery. Je crois que c'est David Sylvester qui s'en occupe. J'espère qu'on va s'amuser ! Je fais souvent le projet de traverser la Manche, et puis je m'arrête en route. Alberto s'occupe de vous faire envoyer le buste par Lefèbvre-Foinet. Il part dans quelques jours pour Stampa. Il va très bien, meilleure mine peut-être qu'à votre dernier passage. Je suis toujours dans les "appuie-tête" avec Leiris et d'autre part chez le psychanalyste (je me demande ce qu'il va sortir de [ça]).
À très bientôt, je vous préviendrai de notre arrivée (en principe en août) et vous embrasse
Annette

Isabel à Alberto Giacometti
Lettre manuscrite au stylo bic noir sur une page
de carnet perforée.
Un feuillet recto, 32,8 x 20,8 cm
FAAG, inv. 2003-1909

[juin 1965 ?]

Très cher Alberto,
Je vous envoie mon adresse pour la fête[25]
C'est :
     Madame Isabel Rawsthorne
     Sudbury cottage
     Little Sampford
     Saffron Walden
     ESSEX
J'étais très très contente de vous voir et de voir les choses
récentes. Vous êtes le seul, il me semble qui fait des pas en
avant.
Isabel

Isabel à Alberto Giacometti
Lettre manuscrite au stylo bic noir sur papier blanc ligné avec
en-tête manuscrit.
Trois feuillets recto, 25,4 x 20,2 cm
FAAG, inv. 2003-1910

[décembre 1965]

Tel. Great Sampford 250
Sudbury Cottage
Little Sampford
Saffron Walden
Essex

Très cher Alberto,

À la suite de plusieurs coups de téléphone à Paris j'ai eu des
nouvelles de Michel et Zette que vous êtes à l'Hôpital.

---

25. Il s'agit peut-être du dîner du 16 juillet 1965 organisé par la Tate Gallery en l'honneur
de Giacometti à l'occasion de l'exposition. Il peut aussi s'agir d'un dîner organisé lors
de la deuxième visite de Giacometti en Angleterre.

Pour une seconde j'ai eu peur, mais quand ils m'ont expliqué [que] c'était à cause d'une bronchite et qu'on en [a] profité [pour] faire en même temps un examen, je me trouvais plutôt contente, car je suis de l'avis que passer quelques jours à l'hôpital est très rafraîchissant.

Eh bien, j'étais sur le point de partir pour Paris ayant quelque chose à vous demander d'urgence.

J'essaie d'expliquer pourquoi je suis pressée de vous voir.

Il s'agit de la question de faire un livre de la collection de mes dessins, actuellement exposés à la galerie Penrose.

Heureusement vous avez vu quelques exemples quand vous étiez ici, sinon je ne pourrais pas vous demander si vous pourriez considérer la possibilité d'écrire un petit avant-propos pour mettre dans ce livre. Les éditeurs seront tout de suite d'accord d'entreprendre une telle publication si vous êtes d'accord. Pour l'instant tout ce qu'il me faut c'est que vous m'envoyiez un mot disant OUI – EN PRINCIPE – (en principe, forcément, étant donné que je n'ai presque rien décrit sur ce projet.)

L'exposition ferme à la fin du mois, en plus on va perdre quatre jours à cause de la fête de Noël, et ce serait beaucoup mieux sur tous les plans, si j'avais le OUI en principe avant la fermeture.

Vous connaissez mieux que moi le monde des éditeurs. Celui qui s'y intéresse en ce moment appartient à une grande maison d'édition, Thames & Hudson, surtout pour les gros livres d'art, mais ils s'occupent aussi des modernes. Ils ont publié récemment un catalogue raisonné illustré sur Bacon.

C'est dommage que je doive écrire au lieu de venir vous parler. Bien entendu je viendrai quand vous voulez, avec dessins, texte, détails, etc. pour vous montrer. Il faut ajouter que si vous ne voulez pas faire une chose pareille, rien ne changera pour moi. Nous avons partagé une trop longue histoire. Vous comprenez ce que je veux dire.

Les dessins exposés sont mieux que ceux que vous avez vus, et l'ensemble, il y en a une trentaine, dans cette petite pièce est assez joli. Ils gagnent d'être vus l'un après l'autre. Pour cette raison je suis très emballée par l'idée du livre.

Pour [le] texte etc. il faut attendre que je vous voie. Grande amitiés à Diego et Annette, et guérissez-vous bien

comme toujours

Isabel

[P.S.] J'aimerais bien venir à Stampa un jour, par exemple

Isabel à Annette Giacometti
Carte de vœux.
FAAG, inv. 2003-1911

Au verso : reproduction d'une loutre, et le texte imprimé : *With all Good Wishes / for Christmas and the New Year/ from (Isabel and Alan)*.

Chère Annette,
Heureusement que je suis venue à Paris sans attendre (ce n'était pas très poli d'arriver comme cela) sinon je [ne] vous aurais pas vu cette année. Notre chaumière encore pleine d'ouvriers. J'ai fait photographier le tableau l'autre jour, bientôt. Je vous enverrai une copie. Je me demande ce que va donner l'an 69 ? À très bientôt je l'espère
Love from Alan
[Isabel]

Isabel à Annette Giacometti
Lettre manuscrite au stylo bic noir sur papier blanc à en-tête
imprimé.
Trois feuillets recto verso
FAAG, inv. 2003-1912

[24 mai 1969]

Sudbury Cottage
Little Sampford
Saffron Walden
Essex
Tel. Great Sampford 250

Le 24 Mai
Chère Annette

Merci beaucoup pour la carte et la lettre. Il me fait toujours
bien d'avoir des nouvelles. En ce moment c'est impossible de
partir d'ici.
Nous avions, nous deux, plutôt un mauvais printemps (la
grippe deux fois chacun). Maintenant ça va beaucoup mieux. À
cet instant où j'écris le paysage est d'une beauté incroyable. Je
n'ai pas beaucoup travaillé jusqu'il y a quelques semaines. J'ai
commencé trois assez grands tableaux en JAUNE, d'après les
dessins que j'ai faits au Musée d'Histoire Naturelle (C'est très
très bien arrangé). C'est à voir ce que ça donne. Mais je crois
faire un petit saut.
Je comprends que la rue d'Alésia doit être sinistre. En plus
à faire avec les avocats etc. etc. est déprimant et sordide.
Beaucoup de sympathie de nous deux.
Nous étions tellement réduits après la grippe que nous avions
décidé de partir 5 jours aux Isles de Scilly. C'est des Isles en
plein Atlantique. Merveilleusement beaux et les Scilloniens (les
Celtes) sont de drôles de gens.
Ils cultivent uniquement des fleurs. La plupart des islandais, il
me semble, vivent comme les anciens brigands. Ils survivent
à cause des naufrages. (C'est la côte la plus dangereuse du
monde). Il y a 300 navires entièrement perdus, mais attachés
aux rochers, en attendant les plongeurs qui puissent trouver de
soi-disant monuments historiques !!
Agréables et amusantes vacances. Il faut venir un jour avec
nous là-bas.

Pour l'exposition à l'Orangerie je viendrai n'importe comment. Sûrement c'est l'endroit idéal pour Alberto.

Les mois de juillet et août nous serons en Irlande et au Nord de l'Écosse. Alan reçoit ce qu'on appelle ici, Honorary Doctor of Music, aux universitaires de Belfast et Liverpool. (C'est assez drôle que les deux universitaires ont trouvé le même mois après 60 ans !).

Je dois courir mettre cette lettre à la poste. J'ai deux fois fait photographier le portrait de Diego – par des amis – le premier a perdu les "slides" à cause d'une hémorragie, l'autre est à l'hôpital à cause de la boisson.

Il faut que j'emploie un professionnel.

Toutes amitiés de Alan et Isabel

[P.S.] On était surpris et ravi ici à la chute du Général[26].

---

26. Le 28 avril 1969, le Général de Gaulle avait annoncé sa démission.

Isabel à Annette Giacometti
Lettre manuscrite au stylo bic noir sur papier blanc
à en-tête imprimé.
Un feuillet recto verso
FAAG, inv. 2003-1913

[7 juin 1969]

Sudbury Cottage
Little Sampford
Saffron Walden
Essex
Tel. Great Sampford 250

Le 7 Juin
Chère Annette

Voici – enfin – la photo du portrait de Diego. (Il n'est pas
signé).
Très beau temps en ce moment. Le jardin plein de fleurs.
Je crois que Francis Bacon sera à Paris la semaine prochaine en
route pour Bâle. Peut-être vous le verrez.
Comme toujours
Isabel
[P.S.] Amitié de Alan

Isabel à Annette Giacometti
Lettre manuscrite au stylo bic noir sur papier blanc
à en-tête imprimé.
Un feuillet recto verso
FAAG, inv. 2003-1914

[octobre 1969]

Sudbury Cottage
Little Sampford
Saffron Walden
Essex
Tel. Great Sampford 250

Dimanche
Chère Annette

Un mot pour vous prévenir que nous serons à Paris le lundi soir (le 13). Heureusement Alan a finalement décidé de venir. Nous serons très contents d'être au vernissage[27].
Je vous téléphonerai à Paris (nous avons la chance de pouvoir descendre chez un ami rue Molière). Jeudi le 16 nous irons à Fontainebleau chez Patty et après on revient à Paris le lundi pour un jour ou deux.
Espérons qu'on se voit. J'imagine que vous êtes très occupée en ce moment.
À très bientôt
Isabel

27. L'exposition *Alberto Giacometti* à l'Orangerie des Tuileries a été inaugurée le mardi 14 octobre 1969.

Isabel à Annette Giacometti
Lettre manuscrite au stylo bic noir sur papier blanc
à en-tête imprimé.
Un feuillet recto
FAAG, inv. 2003-1915

[23 janvier 1970]

Sudbury Cottage
Little Sampford
Saffron Walden
Essex
Tel. Great Sampford 250

Le 23 Janvier
Chère Annette,

Est ce que tu seras à Paris le 4 février ?
Je viens seulement pour 48 heures. Je téléphonerai avant mon
départ d'ici.
J'aurai dû écrire il y a longtemps à propos de l'exposition.
C'était superbe.
Espérons à bientôt. Toute amitié de la part d'Alan
Comme toujours
Isabel

Isabel à Annette Giacometti
Lettre manuscrite au stylo bic noir sur papier blanc à en-tête imprimé.
Deux feuillets recto verso et recto
FAAG, inv. 2003-1916

[3 octobre 1970]

Sudbury Cottage
Little Sampford
Saffron Walden
Essex
Tel. Great Sampford 250

Le 3 octobre
Chère Annette,

Je t'envoie les copies des lettres que j'ai données à James Lord il y a 2 jours. (Je les aurais envoyées avant mais j'avais toujours l'espoir de les apporter moi-même).
On a dû abandonner notre voyage en France pour des raisons ennuyeuses. Néanmoins je viendrai bientôt pour un peu de temps. Bien entendu je ferai signe. Ici pendant tout l'été il faisait beau, un temps tout à fait merveilleux. J'essaie de travailler – mais lentement. La galerie m'a dit qu'ils vont essayer d'exposer quelques tableaux en France. Espérons.
Une petite sensation dernièrement : Francis[28] fut appelé par la police accusé de posséder de la drogue : le cannabis. En fait il ne fume jamais à cause de l'asthme. C'est quelqu'un qui lui en voulait. On croyait un moment que c'était George[29]. Maintenant il semble que c'est quelqu'un qui a pris le nom de George pour le dénoncer. En vérité ce n'est pas drôle. Car Francis est en liberté provisoire.
C'était sûrement bien d'aller dans les montagnes.
Je t'embrasse – Alan aussi
Isabel

28. Francis Bacon.
29. George Dyer, compagnon de Bacon, avec lequel il eut une liaison tumultueuse.

Remerciements

L'auteur et la Fondation Alberto et Annette Giacometti expriment leur profonde gratitude à l'héritier d'Isabel, Warwick Nicholas, et à Adrian Glew, conservateur aux Archives de la Tate à Londres, qui ont permis la réalisation de ce projet, mûri depuis la naissance de la Fondation.

Nous adressons nos plus vifs remerciements pour leur concours à :

Sue Breakell et Roger Thorp, Tate, Londres.
Denis Coutagne, Musée Granet, Aix-en-Provence.
Félix Marcilhac, Paris.
Dr Gottlieb Leinz, Stiftung Wilhelm Lehmbruck Museum – Zentrum Internationaler Skulptur, Duisburg, Allemagne.
Sophie Rochard-Fiblec, fonds Brassaï, Réunion des Musées Nationaux, Paris.
Phyllis Hattis, New York.
Ernst Scheidegger, Zurich.
Christian Klemm et Felix Baumann, Alberto Giacometti-Stiftung, Zurich.
Silvio Veronese, Peggy Guggenheim Collection, Venise.
Hatty Vidal-Hall et Geoff Laycock, Archives John Deakin-Foundation James Moores.
Kathleen Crain, Scott White Gallery, San Diego, Californie.
Elisabeth Ferley, Galerie Krugier, Genève.
Christian Dettwiller, Neue Zürcher Zeitung, Zurich, Suisse.

L'auteur souhaite associer à ces remerciements toute l'équipe de la Fondation pour sa contribution à cette publication, notamment Johanne Legris qui en a assuré la coordination, Katia Busch des recherches iconographiques, et Isabelle Palmi qui s'est occupé du contrat de co-édition.

Crédits photographiques

Aix-en-Provence, Musée Granet, photo Bernard Terlay : Fig. 20.
Duisbourg, Wilhelm Lehmbruck Museum : Fig. 11.
Liverpool, A Fondation James Moores Office : Fig. 33.
Londres, Tate, London, 2007 : Fig. 21, 22.
Paris, Archives Félix Marcilhac : Fig. 1 et couverture.
Paris, Bibliothèque Kandinsky : Fig. 9.
Paris, Fondation Alberto et Annette Giacometti : Fig. 2, 3, 4, 7, 8, 10, 15-17, 23-32.
Paris, Photo RMN / © Jean-Gilles Berizzi : Fig. 18.
Venise, Peggy Guggenheim Collection, Venice (Solomon R. Guggenheim Foundation, N.Y.) : Fig. 6.
Zurich, Alberto Giacometti-Stiftung, Kunsthaus Zürich: Fig. 19.

Tous droits réservés.

Alberto Giacometti © ADAGP, Paris, 2007.
Brassaï © Estate Brassaï – Rmn, Paris, 2007.
Ernst Scheidegger © Neue Zürcher Zeitung, 2007.

Varia

FAGE éditions

Édition
fage.editions@free.fr
Conception graphique
835
Photogravure
Accord Image
Impression
Alpha, Peaugres
Façonnage
Alain, Félines

Achevé d'imprimer en novembre 2007
Dépôt légal novembre 2007

© Fondation Alberto et Annette Giacometti, Paris, 2007
© Fage éditions, Lyon, 2007
© Véronique Wiesinger, 2007
© Succession Isabel Nicholas, 2007

ISBN : 978-2-84975-121-3